Dyluniwyd gan Briallen Jones

Adeg cyhoeddi'r llyfr hwn, roedd modd cyrchu pob un o'r gwefannau a nodir ynddo.

Cydnabyddiaeth

Dymuna'r awdur ddiolch i:-
Marian Thomas, Pennaeth Ysgol Hyfforddiant
ac Addysg Gychwynnol Athrawon, Prifysgol
Cymru Y Drindod Dewi Sant am bob cymorth a
chefnogaeth wrth gynhyrchu'r gyfrol.

Rhiannon Sparks, Briallen Jones a gweddill
Canolfan Peniarth am waith manwl a thrylwyr
wrth ddylunio a chysodi'r cyhoeddiad terfynol.

Cynnwys

1

Cyflwyniad

Bydd pob athro neu athrawes yn debygol o addysgu plant ag Anghenion Ychwanegol ar ryw adeg yn ystod eu gyrfa. Nid rôl athrawon yw llunio diagnosis meddygol na chwaith barnu neu ddangos unrhyw ragfarn. Yn hytrach, eu gorchwyl yw adnabod a diwallu anghenion y plant hyn mewn cydweithrediad â'r disgyblion eu hunain, eu rhieni/gofalwyr, aelodau eraill o staff yr ysgol ac asiantaethau allanol yn unol â'r canllawiau statudol.

Mae pob plentyn yn unigolyn a bydd anghenion pob un ohonynt yn gwbl wahanol. Nid yw strategaethau dysgu sydd yn llwyddo gyda'r naill blentyn ag AY o reidrwydd yn llwyddo gydag un arall. Felly rhaid cynnig amrywiaeth o gyfleoedd i ysgogi'r dysgu gan adeiladu ar gryfderau'r plentyn a datblygu sgiliau mewn amgylchedd cynhwysol.

Bwriad y llyfryn hwn yw rhoi cyflwyniad i rai o'r termau a'r ymadroddion mwyaf cyffredin a ddefnyddir o ddydd i ddydd ym maes AY yn ein hysgolion. Gan fod hwn yn faes mor eang, amhosib fyddai cynnwys popeth, felly ceir cyfeiriadau pellach at lyfrau a gwefannau a fydd o gymorth i ehangu dealltwriaeth o feysydd penodol. Gobeithio bydd hwn yn adnodd defnyddiol ar gyfer eich gwaith yn y dosbarth ac yn arwain at ymchwil annibynnol pellach i'r meysydd dan sylw.

Adolygiad Blynyddol

Pan mae datganiad o Anghenion Addysgol Arbennig (AAA) gan blentyn mae'n ofynnol i'r sefydliad gynnal cyfarfod blynyddol i adolygu'r datganiad hwnnw (LICC, 2004). Gwahoddir y disgybl ei hun, rhieni/gofalwyr, athro/athrawes dosbarth, y Cydlynydd AAA a phob person proffesiynol arall sydd ynghlwm â'r plentyn i fynychu'r cyfarfod. Weithiau bydd rhai gweithwyr proffesiynol megis y paediatregydd, yn ysgrifennu adroddiad i'w ystyried yn y cyfarfod. Trafodir cynnydd y plentyn ac addasrwydd y ddarpariaeth bresennol gan gofnodi'r drafodaeth yn drwyadl a chytuno ar unrhyw newidiadau sydd angen eu gwneud. Gall hyn olygu parhau gyda'r ddarpariaeth bresennol, ychwanegu at neu leihau'r ddarpariaeth neu awgrymu diddymu'r datganiad yn gyfan gwbl.

Er mai unwaith y flwyddyn y cynhelir yr adolygiad blynyddol dylid monitro cynnydd disgyblion sydd â datganiadau yn rheolaidd (bob tymor/hanner tymor). Y cyfrwng ar gyfer asesu lefel y cynnydd yn erbyn targedau a osodwyd yw'r Cynllun Addysg Unigol (CAU). Mae'r iaith a ddefnyddir yn y cyfarfodydd hyn yn bwysig gan y dylid canolbwyntio ar gryfderau a chynnydd y disgybl yn ogystal â'r rhwystrau. Gall rhieni ddod â chynrychiolydd gyda hwy os dymunant, ac mae rhyddid i'r plentyn fynegi barn a syniadau ar lafar neu mewn ffurf arall megis ysgrifennu, darlunio, chwarae rôl neu trwy ddefnyddio offer TGCh megis DVD.

Gwybodaeth bellach:
LICC (2004: 120–133)
Rose & Howley (2007: 90–94)

Addysg Gynhwysol

Mae addysg gynhwysol yn un o ofynion deddfwriaethau a pholisïau yn ymwneud â hawliau plant ag AY yn ogystal ag yn agwedd foesol tuag at amrywiaeth a chydraddoldeb. Mae'r ysgol gynhwysol yn parchu a gwerthfawrogi pob unigolyn ac yn croesawu amrywiaeth fel adnodd cyfoethog ar gyfer dysgu (CSIE, 2011). Yn gryno mae addysg gynhwysol yn cynnwys tri phrif egwyddor sy'n cylchdroi sef:

   i.   cynhyrchu polisïau cynhwysol
   ii. creu diwylliant cynhwysol
   iii. datblygu ymarferion cynhwysol (Ainscow et al., 2006).

Mae gweledigaeth Llywodraeth Cynulliad Cymru (2005) ar gyfer plant a phobl ifanc 'Plant a Phobl Ifanc: Gweithredu'r Hawliau' yn seiliedig ar Gonfensiwn y Cenhedloedd Unedig ar Hawliau'r Plentyn. Yma nodir yr angen am ddarpariaeth addysg gynhwysol ac ystyrlon i feithrin 'annibyniaeth a chynhwysiant mewn cymdeithas gyfan' (APADGOS, 2010: 3). Mae hyn yn seiliedig ar saith nod craidd, sef bod pob plentyn:

1. yn cael dechrau da mewn bywyd;
2. yn cael ystod gynhwysfawr o gyfleoedd addysg a dysgu;
3. yn mwynhau'r iechyd gorau posib, yn rhydd o gamdriniaeth, erledigaeth ac ecsploetiaeth;
4. yn gallu cael mynediad at weithgareddau chwarae, hamdden, chwaraeon a diwylliannol;
5. yn cael pobl i wrando arnyn nhw, eu trin gyda pharch, gan gydnabod eu hil a'u hunaniaeth ddiwylliannol;
6. yn byw mewn cartref a chymuned ddiogel sy'n cefnogi lles corfforol ac emosiynol;
7. ddim dan anfantais oherwydd tlodi (LlCC, 2007).

Nod addysg gynhwysol yw sicrhau mynediad i a chyfranogiad mewn ystod eang o gyfleoedd addysgiadol a chymdeithasol a ddarperir gan yr ysgol ar gyfer pob disgybl. Dylid osgoi eithrio'r plentyn o unrhyw agwedd ar fywyd yr ysgol gan gynnwys:

- y cwricwlwm;
- asesu;
- cofnodi ac adrodd nôl am gyrhaeddiad disgyblion;
- amgylchedd y sefydliad;
- penderfyniadau yn ymwneud â'r plentyn;
- grwpio o fewn y dosbarth a'r ysgol;
- pedagogaeth ac ymarfer yn y dosbarth;
- gweithgareddau chwaraeon;
- gweithgareddau allgyrsiol a hamdden (Mittler, 2006).

Argymhellir y dylai pob Awdurdod Lleol (ALl), ysgolion prif ffrwd, ysgolion arbennig a darparwyr addysg eraill gefnogi ymarfer ac ethos cynhwysol gan feithrin agwedd holistig tuag at ddysgu ac addysgu (Adran Hyfforddiant ac Addysg, 2003). Bydd pob plentyn yn elwa o addysg gynhwysol gan gynnwys rhai ag anableddau neu rwystrau rhag dysgu, rhai o leiafrifoedd ethnig neu gefndiroedd gwahanol a'r plant hynny sydd yn absennol yn fynych ac mewn perygl o gael eu gwahardd neu eu heithrio.

Gwybodaeth bellach:
APADGOS (2007a)
APADGOS (2010)
Booth & Ainscow (2002)
Booth et al. (2006)
Mittler (2006)
Rose & Howley (2007)
Canolfan Astudiaethau ar Addysg Gynhwysol (CSIE) – www.inclusion.org.uk
Rhieni Dros Gynhwysiant – www.parentsforinclusion.org
SNAP Cymru – www.snapcymru.org.uk

Affasia

Affasia yw'r anallu i fynegi syniadau a meddyliau mewn geiriau a'r anallu i ddeall meddyliau llafar neu ysgrifenedig pobl eraill. Caiff ei achosi fel arfer o ganlyniad i niwed i'r ymennydd ac mae'n gyflwr eithaf prin ymhlith plant. Gall amrywio o ddealltwriaeth a defnydd cyfyng o eirfa a lleferydd araf a llafurus (affasia broca) i anawsterau dwysach lle bydd ychydig iawn o ddefnydd a dealltwriaeth o iaith (affasia hollgynhwysol). Weithiau hefyd bydd y plentyn yn cael anhawster llyncu. Bydd yr Adran Therapi Iaith a Lleferydd yn darparu cyngor ar strategaethau i gefnogi plentyn ag Affasia, e.e.

- ymarferion i gyhyrau'r wyneb;
- gweithgareddau lleferydd-sain;
- defnyddio iaith arwyddion.

Gwybodaeth bellach:
APADGOS (2007ch: 100)
Buttriss & Callander (2008: 28)
AFASIC Cymru (Cymdeithas i gefnogi plant sydd ag anawsterau iaith a chyfathrebu a'u rhieni)-
www.afasiccymru.org.uk
CEREBRA – www.cerebra.org.uk (Elusen i gynorthwyo a chefnogi plant sydd ag anhwylderau yn gysylltiedig â'r ymennydd)
ICAN (Elusen Addysg Cenedlaethol ar gyfer Plant ag Anawsterau Iaith a Lleferydd – www.ican.org.uk

Allgau Cymdeithasol

Mewn cyd-destun cymdeithasol gall plant gael eu hallgau oherwydd:

- tlodi;
- tai a chartrefi annigonol;
- afiechyd parhaol;
- diweithdra tymor hir;
- cenedl neu hil;
- crefydd;
- anabledd.

Dengys adroddiad Estyn (2011) bod agweddau ar allgau cymdeithasol yn parhau i effeithio'n gryf ar gyflawniad disgyblion. Mae nifer o blant o gefndiroedd difreintiedig dan anfantais ac yn tangyflawni o'u cymharu gyda'u cyfoedion o gefndiroedd breintiedig.

Gwybodaeth bellach:
Estyn (2011)
Mittler (2006 : 47–60)
Plant yng Nghymru (Hydref 2009)

Anabledd Corfforol

Ceir ystod eang o anableddau corfforol, felly amhosib byddai rhestru'r rhain i gyd. Enghreifftiau o rai o'r anableddau mwyaf cyffredin yw:

- Parlys yr Ymennydd;
- Spina Bifida;
- Epilepsi;
- Hydrocephalus;
- Niwed ar yr ymennydd.

Gall yr anableddau amrywio o gael ychydig iawn o ddylanwad ar ddysgu a datblygiad hyd at niwed niwrolegol a fydd yn effeithio ar sgiliau echddygol bras a sgiliau echddygol manwl. Ni ddylid rhagdybio gallu plentyn i ddysgu ar sail anabledd corfforol gan y gall lefel eu gallu deallusol amrywio o fod yn fwy abl a thalentog i anableddau dysgu dwys (Best et al. dyfynnir yn Westwood, 2011). Wrth addysgu plant ag anableddau corfforol rhaid sicrhau eu bod yn cael yr un cyfleoedd i ymgymryd ag ystod eang o weithgareddau dysgu a chymdeithasol â gweddill eu cyfoedion nad sydd ag anableddau. Gall hyn olygu addasu'r amgylchedd a'r adnoddau dysgu yn ogystal â'r dulliau addysgu.

Yn unol â Deddf Gwahaniaethu ar sail Anabledd 2005 rhaid i bob ysgol gael strategaeth neu gynllun hygyrchedd ar gyfer:

a. cynyddu mynediad i'r cwricwlwm;
b. sicrhau gwelliannau i amgylchedd ffisegol yr ysgol i gynyddu mynediad;
c. gwneud gwybodaeth ysgrifenedig yn hygyrch i ddisgyblion mewn nifer o ffyrdd gwahanol (LICC, 2007c).

Mae diffyg hyder ar nifer o blant ag anableddau corfforol fel plant â rhai ADY eraill (Westwood, 2011). Byddant angen mwy o anogaeth a chymhelliant oddi wrth yr oedolion o'u cwmpas er mwyn iddynt fedru cyflawni eu llawn botensial.

Gwybodaeth bellach:
LICC (2007c)
Westwood (2011: 31-32)
Plant Anabl yn Cyfri Cymru – www.dcmw.org.uk/wresources. cfm
Plant yng Nghymru – www.plantyngnghymru.org.uk/ areasofwork/disability.html

Anableddau Cudd

Cyfeiria'r ymadrodd hwn at yr anableddau hynny nad ydynt yn amlwg ac yn weladwy i athrawon pan fyddant yn cwrdd â disgybl am y tro cyntaf, e.e.
- afiechyd meddwl;
- anhwylder diffyg canolbwyntio a gorfywiogrwydd (ADHD);
- anhwylder sbectrwm awtistig a Syndrom Asperger;
- asthma;

- canser;
- dyslecsia;
- dyspracsia/dysgraffia;
- epilepsi;
- nam ar y clyw;
- golwg gwael;
- cyflyrau meddygol eraill e.e. problemau gyda'r galon, afu neu arennau.

Gall y rhain fod ar wahanol lefelau gan amrywio o anabledd ysgafn i ddifrifol, dros dro neu barhaol. Er mwyn cyflwyno darpariaeth addysgol briodol ar gyfer pob plentyn rhaid trafod gyda chydweithwyr, darllen gwybodaeth gefndirol a dod i adnabod y plentyn yn dda.

> **Gwybodaeth bellach:**
> Plant Anabl yn Cyfri Cymru – www.dcmw.org.uk/wresources. cfm
> Plant yng Nghymru – www.plantyngnghymru.org.uk/ areasofwork/disability.html

Anhawster Dysgu

Caiff ei ddiffinio fel a ganlyn:
Mae gan blant anhawster dysgu:
(a) os ydynt yn cael anhawster i ddysgu sy'n sylweddol fwy na'r anhawster a gaiff y rhan fwyaf o blant yr un oed; neu
(b) os oes ganddynt anabledd sy'n eu hatal neu'n eu llesteirio rhag gwneud defnydd o gyfleusterau addysgol o fath a ddarperir yn gyffredinol i blant o'r un oed mewn ysgolion yn ardal yr ALl;

(c) os ydynt o dan oed ysgol gorfodol a'u bod yn dod o fewn y diffiniad yn (a) neu (b) uchod neu y byddent yn gwneud hynny pe na wnaed darpariaeth addysgol arbennig ar eu cyfer (LlCC, 2004: 1).

Caiff anawsterau dysgu eu dosbarthu dan y penawdau canlynol:
1)   anawsterau dysgu cymedrol;
2)   anawsterau dysgu dwys;
3)   anawsterau dysgu difrifol;
4)   anawsterau dysgu penodol.

Ni ddylid cymryd yn ganiataol bob amser bod anawsterau dysgu plentyn yn deillio o broblemau neu anawsterau'r plentyn ei hunan. Gall plentyn brofi anawsterau wrth ddysgu oherwydd dulliau ac ymarfer addysgu, felly dylid bod yn ymwybodol o hyn a gweithredu yn briodol, e.e.
- amrywio dulliau addysgu – cinesthetig, gweledol, clywedol;
- defnyddio amgylchedd gwahanol – y tu allan;
- amrywio trefniadaeth y dosbarth – gwaith pâr, grwpiau bach/mawr;
- addasu'r amgylchedd ffisegol i ddiwallu anghenion y plentyn.

Gall anawsterau dysgu arwain at ddiffyg datblygiad sgiliau allweddol, yn enwedig ym maes llythrennedd a rhifedd. Mae methiant cyson yn tanseilio hyder a hunan-barch plentyn a gall hyn arwain at broblemau ymddygiadol ac emosiynol (Westwood, 2011). Mae'n angenrheidiol felly bod unrhyw anawsterau dysgu yn cael eu hadnabod pan mae'r plentyn mor ifanc â phosib. Trwy ymyrraeth gynnar gallant dderbyn y cymorth a'r gefnogaeth briodol ar gyfer llwyddo.

Gwybodaeth bellach:
LICC (2004)
Westwood (2011)

Anawsterau Dysgu Cymedrol

Mae oedi o ryw dair blynedd yn natblygiad cyffredinol disgyblion ag anawsterau dysgu cymedrol a bydd ganddynt rwystrau tuag at ddysgu ar draws y cwricwlwm. Ni fydd modd diwallu anghenion y dysgwyr hyn drwy'r drefn arferol o wahaniaethu a hyblygrwydd arferol y Cwricwlwm Cenedlaethol felly bydd angen darpariaeth benodol ar gyfer yr unigolyn (Glazzard et al. 2010).

Disgyblion ag anawsterau dysgu cymedrol yw'r mwyafrif o ddisgyblion ag AAA mewn ysgolion prif ffrwd ac o bosib byddant yn dangos y nodweddion canlynol:

- sgiliau gwrando a chanolbwyntio anaeddfed;
- sgiliau cymdeithasol anaeddfed;
- dibynnu'n gryf ar gynorthwyydd cynnal dysgu i'w harwain yn y dosbarth;
- cof gweledol a/neu glywedol gwan;
- profi anhawster i feistroli sgiliau sylfaenol llythrennedd a rhifedd;
- cael anhawster o ran sgiliau darllen a deall;

- angen lefel uchel o gefnogaeth gyda gweithgareddau archwilio neu ddatrys problemau;
- cael anhawster trosglwyddo gwybodaeth a sgiliau blaenorol i gyd-destun gwahanol;
- rhai anawsterau gyda sgiliau echddygol (Buttriss & Callander, 2008).

O ganlyniad bydd nifer ohonynt hefyd â diffyg cymhelliant a hunan-barch a gall hynny arwain at agwedd negyddol tuag at ddysgu. Dylid cymryd gofal rhag iddynt fod yn or-ddibynnol ar y cynorthwyydd cynnal dysgu a'u hannog i wynebu heriau newydd ac i weithio'n annibynnol trwy roi digon o anogaeth a chanmoliaeth iddynt. Gall strategaethau dysgu amlsynhwyraidd wedi eu targedu'n benodol at y nodweddion uchod fod yn effeithiol ond dylid gofalu hefyd bod y tasgau yn syml a chryno ac ar lefel dealltwriaeth y plentyn. Mae canmol pob ymdrech, cyrhaeddiad neu sgil newydd yn bwysig er mwyn datblygu hunan-barch a hunanhyder y plentyn.

Gwybodaeth bellach:
Buttriss & Callander (2008: 79-80)
Glazzard et al. (2010: 33)
LICC (2004)
Yr Ymddiriedolaeth Pyramid Genedlaethol – www.continyou.org.uk/wales_cymru/

Anawsterau Dysgu Difrifol

Mae gan ddisgyblion ag anawsterau dysgu difrifol amhariadau gwybyddol a deallusol sylweddol a chaiff hyn gryn effaith ar eu gallu i gymryd rhan yng nghwricwlwm yr ysgol heb gefnogaeth. O bosib bydd ganddynt rwystrau hefyd o ran y canlynol:

- y gallu i symud a chydsymud;
- cyfathrebu;
- canfod a chaffael sgiliau hunangymorth;
- ymdopi yn annibynnol o ran gwaith a bywyd yr ysgol;
- sgiliau cymdeithasol.

Bydd rhai disgyblion yn defnyddio dull arwyddo a symbolau er mwyn cyfathrebu tra bydd eraill yn medru cynnal sgwrs syml a datblygu rhai sgiliau llythrennedd elfennol (Glazzard et al. 2010). Anogir athrawon i ddefnyddio dulliau amlsynhwyraidd o ddysgu i hybu datblygiad disgyblion ag anawsterau dysgu difrifol.

Gwybodaeth bellach:
Glazzard et al. (2010: 33)
LICC (2004)

Anawsterau Dysgu Dwys a Lluosog

Bydd anghenion dysgu difrifol a chymhleth gan blant ag anawsterau dysgu dwys a lluosog. Mae'n bosib y bydd ganddynt anawsterau penodol eraill hefyd megis anawsterau corfforol neu nam ar y synhwyrau. Bydd angen lefel uchel o gymorth oedolyn ar y plant hyn, nid yn unig ar gyfer eu hanghenion addysgol ond hefyd ar gyfer eu gofal personol. Mae dulliau dysgu yn cynnwys symbyliad drwy'r synhwyrau a chwricwlwm sydd wedi ei rannu i gamau bychain iawn. Bydd rhai disgyblion yn cyfathrebu drwy ystumiau, defnyddio'r llygaid i bwyntio neu drwy symbolau tra bo eraill yn defnyddio iaith syml iawn (Glazzard et al., 2010).

Gwybodaeth bellach:
Glazzard et al. (2010: 34)
LICC (2004)

Anawsterau Dysgu Penodol

Term cwmpasog yw hwn sydd yn disgrifio'r rhwystrau hynny tuag at ddysgu a gaiff rhai disgyblion wrth
- ddarllen;
- ysgrifennu;
- sillafu;
- trin rhifau.

O ganlyniad bydd eu cyrhaeddiad yn y meysydd hyn yn is na'u cyrhaeddiad mewn meysydd dysgu eraill. Mae'n bosib hefyd y byddant yn cael anhawster gyda sgiliau cof tymor byr, sgiliau trefnu a sgiliau cydsymud. Bydd ystod o allu gan blant ag anawsterau dysgu penodol a bydd eu rhwystrau yn amrywio o unigolyn i unigolyn. Gallant hefyd brofi anawsterau mewn mwy nag un agwedd o'u dysgu.

Mae anawsterau dysgu penodol yn cynnwys:
- dyslecsia;
- dyscalculia;
- dyspracsia;
- Syndrom Down (Glazzard e al., 2010: 34).

Gwybodaeth bellach:
Glazzard et al. (2010: 34)
LlCC (2004)

Anawsterau Emosiynol, Cymdeithasol ac Ymddygiadol

Gall anawsterau emosiynol, cymdeithasol neu ymddygiadol gael cryn effaith ar ddysgu plant a'u rhwystro rhag cyflawni eu llawn botensial. Mae anawsterau emosiynol yn amrywio o brofiadau tymor byr, e.e. colli anifail anwes, i brofiadau tymor hir megis colli aelod o'r teulu. Bydd plant yn ei chael hi'n anodd delio gydag emosiwn, felly bydd angen cefnogaeth briodol arnynt i ymdopi â'u teimladau. Ceir disgyblion o wahanol gefndiroedd cymdeithasol yn y mwyafrif o ysgolion ac o bosib bydd rhai yn dod o gefndir lle mae diffyg sicrwydd corfforol ac emosiynol. Dylai athrawon fod yn ymwybodol o unrhyw ddiffyg darpariaeth ar gyfer anghenion sylfaenol yn y cartref a dylent geisio diwallu'r anghenion hynny o fewn yr ysgol, e.e.

- clybiau brecwast;
- creu amgylchedd diogel;
- darparu adborth positif a chefnogol;
- rhoi cyfle i blant fod yn greadigol ac i gymryd perchnogaeth dros eu dysgu (Glazzard et al., 2010).

Noda Wearmouth (2007) fod tystiolaeth yn dangos bod ymddygiad annerbyniol yn y dosbarth yn deillio nid yn unig o nodweddion yr unigolion ond hefyd o:

- dasgau a gweithgareddau anaddas, e.e. gosod tasgau darllen rhy anodd;
- cyflwyno cysyniadau sy'n ddibynnol ar ormod o wybodaeth a dealltwriaeth flaenorol;
- dylanwad grwpiau o gyfoedion;
- dulliau rheoli dosbarth gwahanol athrawon;
- disgwyliadau rhy uchel neu rhy isel gan athrawon.

Felly er mwyn delio'n effeithiol gydag ymddygiad annerbyniol, dylid ystyried y pwyntiau uchod wrth gynllunio a chyflwyno gweithgareddau. Ymhlith disgyblion sydd ag anawsterau ymddygiadol mae'r plant hynny sydd ag Anhwylder Diffyg Canolbwyntio (ADD) neu Anhwylder Diffyg Canolbwyntio a Gorfywiogrwydd (ADHD).

Mae dysgu effeithiol yn cynnwys personoli'r dysgu ar gyfer dysgwyr gweledol, clywedol a chinesthetig, ac mae hyn yn hynod o bwysig ar gyfer disgyblion ag anawsterau emosiynol, cymdeithasol ac ymddygiadol (Glazzard et al., 2010). Dylid adnabod dulliau dysgu'r unigolyn ac addasu strategaethau gan ystyried y canlynol:

- gosod deilliannau dysgu clir mae'r plentyn yn eu deall ar gyfer pob gwers;
- cynllunio amserlen glir mae'r plentyn yn ei deall a glynu at yr amserlen honno;
- labelu adnoddau yn glir a'u storio o fewn cyrraedd plant;
- darparu amgylchedd gwaith sefydlog;
- cyflwyno system wobrwyo a sancsiynau;
- gosod rheolau a threfn bendant;
- digon o anogaeth a chanmoliaeth.

Gwybodaeth bellach:
Glazzard et al. (2010: 88-100)
LICC (2004)
Wearmouth (2007)

Anghenion Addysgol Arbennig (AAA)

Is-gategori o'r term Anghenion Dysgu Ychwanegol yw hwn. Mae'n cynnwys disgyblion sydd yn profi rhwystrau rhag dysgu ac o ganlyniad mae angen darpariaeth addysgol arbennig ar eu cyfer. Caiff AAA ei ddiffinio yn Neddf Addysg 1996 fel a ganlyn:

'Mae gan blant anghenion addysgol arbennig os oes ganddynt anhawster dysgu sy'n golygu ei bod yn ofynnol gwneud darpariaeth addysgol arbennig ar eu cyfer.'

Mae gan blant anhawster dysgu:

(a) os ydynt yn cael anhawster i ddysgu sy'n sylweddol fwy na'r anhawster a gaiff y rhan fwyaf o blant yr un oed; neu
(b) os oes ganddynt anabledd sy'n eu hatal neu'n eu llesteirio rhag gwneud defnydd o gyfleusterau addysgol o fath a ddarperir yn gyffredinol i blant o'r un oed mewn ysgolion yn ardal yr ALI;
(c) os ydynt o dan oed ysgol gorfodol a'u bod yn dod o fewn y diffiniad yn (a) neu (b) uchod neu y byddent yn gwneud hynny pe na wnaed darpariaeth addysgol arbennig ar eu cyfer'
(LICC, 2004: 1).

Nododd Llywodraeth Cymru mewn dogfen ymgynghorol ym Mehefin 2012 y dylid cyflwyno'r ymadrodd 'Anghenion Ychwanegol' yn hytrach na pharhau i ddefnyddio'r ymadrodd 'Anghenion Addysg Arbennig' (LIC, 2012).

Gwybodaeth bellach:
APADGOS (2010 : 60)
LIC (2012)
LICC (2004: 1-3)

Anghenion Dysgu Ychwanegol (ADY)

Ymadrodd sy'n cwmpasu ystod o anghenion amrywiol dysgwyr sy'n fwy nag anghenion eu cyfoedion o'r un oedran. Gall plant sydd ag ADY brofi rhwystrau i ddysgu am y rhesymau canlynol:

- anghenion addysgol arbennig;
- anabledd;
- anghenion meddygol;
- absenoldebau o'r system addysg, e.e. gwrthod mynd i'r ysgol;
- cefndir teuluol anodd, e.e. tlodi, afiechyd;
- maent dan ofal yr awdurdod lleol;
- diffyg cysondeb o ran presenoldeb, e.e. plant sipsiwn a theithwyr;
- nid Cymraeg/Saesneg yw iaith gyntaf y plentyn, e.e. ffoaduriaid, ceiswyr lloches, lleiafrifoedd ethnig;
- perfformio neu waith cyflogedig;
- beichiogrwydd neu rieni ifanc;
- tangyflawni oherwydd cyfrifoldebau gofal, e.e. gofalu am riant;
- troseddwyr ifanc;
- tueddiadau rhywiol, e.e. lesbiaid, hoyw;
- mwy abl a thalentog (os oes ganddynt AAA neu eu bod yn profi rhwystrau tuag at ddysgu pwnc neu sgil benodol)
  (APADGOS, 2007a).

Dylid sicrhau y caiff anghenion y disgyblion hyn eu diwallu fel eu bod yn cael yr un cyfleodd i ddysgu a datblygu i'w llawn botensial â gweddill eu cyfoedion.

Mewn dogfen ymgynghorol ym Mehefin 2012, awgrymodd Llywodraeth Cymru y dylid cyflwyno'r ymadrodd 'Anghenion Ychwanegol' yn hytrach na pharhau i ddefnyddio'r ymadroddion 'Anghenion Addysg Arbennig' ac 'Anghenion Dysgu Ychwanegol' presennol. Er hynny mae'r ymadrodd arfaethedig yn cwmpasu yr un anghenion ag a restrir uchod.

Gwybodaeth bellach:
APADGOS (2007a : Adran 2 – 1-32)
APADGOS (2010 : 58-60)
LlC (2012)

Anghenion Ychwanegol (AY)

Awgrymodd Llywodraeth Cymru ym Mehefin 2012 y dylid cyflwyno'r ymadrodd 'Anghenion Ychwanegol' yn hytrach na pharhau i ddefnyddio'r ymadroddion 'Anghenion Addysg Arbennig' ac 'Anghenion Dysgu Ychwanegol' presennol. Mewn dogfen ymgynghorol nodwyd y dylid ystyried bod gan blant neu bobl ifanc Angen Ychwanegol os oes ganddynt anhawster sy'n fwy na'r rhan fwyaf o bobl o'r un oedran o ran:
- anghenion corfforol neu synhwyraidd;
- anghenion cyfathrebu;
- y gallu i ddysgu;
- datblygiad cymdeithasol ac emosiynol (LlC, 2012: t. 16).

Nodir yn yr ymgynghoriad bod anghenion pob unigolyn yn gwahaniaethu a bod rhai plant a phobl ifanc angen mwy o gefnogaeth a chymorth na'i gilydd er mwyn cyflawni eu gwir botensial. Cydnabyddir hefyd bod 'sbectrwm eang o anghenion unigol', yn amrywio o rai y gall 'gwasanaethau cyffredinol' eu diwallu i 'anghenion difrifol a/neu gymhleth sy'n gofyn am ymateb aml-asiantaeth integredig' (LIC, 2012, t. 16).

Er mwyn diwallu anghenion unigol awgrymir y dylid cyflwyno ystod o ddulliau addysgu effeithiol ac o safon uchel yn yr ystafell ddosbarth. Pan mae anghenion mwy penodol neu ddifrifol, yna bydd angen cyngor neu ddarpariaeth arbenigol ar yr athrawon, y disgyblion a'u teuluoedd. Nod hyn yw sicrhau mwy o gysondeb o ran y ddarpariaeth AY ar draws Cymru gyfan gan arwain yn y tymor hir at sefyllfa lle ystyrir bod gan lai o ddisgyblion AY (LIC, 2012).

Gwybodaeth bellach:
LIC (2012)

Anhwylder Diffyg Canolbwyntio (ADD) & Anhwylder Diffyg Canolbwyntio a Gorfywiogrwydd (ADHD)

Dyma ddau o'r anableddau cudd, lle bydd plentyn yn arddangos anawsterau ymddygiad, emosiynol a chymdeithasol. Prif nodweddion Anhwylder Diffyg

Canolbwyntio yw:

- diffyg canolbwyntio am gyfnodau;
- diffyg sgiliau cof tymor byr.

Yr un nodweddion sydd gan Anhwylder Diffyg Canolbwyntio a Gorfywiogrwydd ond ychwanegir y canlynol:

- trothwy rhwystredigaeth isel;
- gweithgarwch uwch;
- byrbwylltra;
- anhyblygrwydd.

Byddant hefyd yn cael anhawster o ran ffurfio perthynas gadarnhaol gyda chyfoedion gan eu bod yn cael anhawster deall ymateb emosiynol a theimladau pobl eraill.

Yn y ddegawd ddiwethaf gwelwyd cynnydd yn y cyflyrau hyn a dengys ymchwil bod rhwng 5% a 10% o ddisgyblion oed ysgol yn dangos symptomau ADD ac ADHD (Wright et al. dyfynnir yn Westwood, 2011). Nid oes deallusrwydd is na'r cyfartaledd gan y plant hyn ond oherwydd rhwystrau rhag dysgu byddant yn tangyflawni yn y mwyafrif o bynciau'r cwricwlwm.

Gellir cefnogi dysgu plant ag ADD ac ADHD trwy:

- amgylchedd ddysgu strwythuredig a rhagweladwy;
- ddefnyddio strategaethau dysgu sy'n ennyn a chynnal diddordeb, e.e.
- adnoddau gweledol;
- defnydd o adnoddau TGCh;
- dysgu sgiliau trefnu a hunanreolaeth;
- digon o ganmoliaeth wrth gyflawni tasg.

Gwybodaeth bellach:
Grant (2010)
Spooner (2011: 24-25)
Westwood (2011: 90–92)
Grŵp Cynnal Plant Gorfywiog – www.hacsg.org.uk
MIND Cymru (Cymdeithas Genedlaethol ar gyfer Iechyd
Meddwl) – www.mind.org.uk

Anhwylder Semantig - Pragmatig

Mae'r term semantig yn ymwneud â geiriau ac ymadroddion
ac mae'r plentyn yn profi rhwystrau wrth ddefnyddio iaith
dderbyngar neu iaith ar lefel uwch. Er bod y plentyn yn deall
ystyr gair, bydd yn cael anhawster ei ddeall yn y cyd-destun
cywir neu mewn trosiad, e.e. 'malu awyr'.

Mae pragmatig yn ymwneud â defnydd priodol o iaith
– beth i'w ddweud, pryd mae'i ddweud e' a sut mae dweud
e'. Bydd plentyn yn cael anhawster cymryd tro mewn sgwrs
neu ddangos diddordeb yn yr hyn sydd gan rywun arall
i'w ddweud, felly weithiau bydd y sgwrs yn amherthnasol
neu'n amhriodol. O ganlyniad mae plant ag Anhwylder
'Semantig Pragmatig' yn arddangos sgiliau chwarae a sgiliau
cymdeithasol gwan.

Gwybodaeth bellach:
Farrell (2009: 253–254)
AFASIC Cymru (Cymdeithas i gefnogi plant sydd ag anawsterau
iaith a chyfathrebu a'u rhieni) – www.afasiccymru.org.uk
Grŵp Cefnogi Anhwylder Semantig Pragmatig (Cymdeithas
wirfoddol o rieni a gweithwyr proffesiynol)
– www.spdsupport.org.uk
ICAN (Elusen Addysg Cenedlaethol ar gyfer Plant ag
Anawsterau Iaith a Lleferydd – www.ican.org.uk
Ffynhonnell gwybodaeth 'Talking Point' ar gyfer sgiliau
cyfathrebu – www.talkingpoint.org.uk

Anhwylder Sbectrwm Awtistig

Mae Anhwylder Sbectrwm Awtistig yn anabledd datblygiadol
gydol oes sydd yn dylanwadu ar y modd mae unigolyn yn
cyfathrebu ac yn creu perthynas gyda'r bobl o'u cwmpas
(MacConville, 2010). Pan mae plant yn derbyn diagnosis o
Anhwylder Sbectrwm Awtistig, byddant yn arddangos
anawsterau mewn tri maes penodol sef sgiliau cymdeithasol,
iaith a chyfathrebu a meddwl ac ymddygiad. Cyfeirir at y
cyflwr hwn fel 'anabledd cudd' gan na ellir gweld yr anhwylder
wrth edrych ar y plentyn yn unig. Cyflwynwyd y term 'triad
amhariad' gan Wing (1988) i ddisgrifio hyn a gellir ei ddisgrifio
fel:

- Cymdeithasol – anawsterau o ran rhyngweithio
a ffurfio perthynas gyda phlant eraill a gydag
oedolion, e.e. bydd rhai yn ynysig iawn tra bo

eraill yn ei chael hi'n anodd cychwyn unrhyw fath o chwarae neu weithgaredd.

- Iaith a chyfathrebu – diffyg dealltwriaeth o gyfathrebu di-eiriau, e.e. iaith y corff, gwneud cyswllt llygad; defnyddio iaith yn llythrennol ac anhawster mynegi teimladau a deall teimladau pobl eraill.

- Meddwl ac ymddygiad – datblygu patrymau ymddygiad anhyblyg, e.e. ailadrodd ymddygiad penodol drosodd a throsodd, siglo dwylo'n gyflym, methu ymdopi â newidiadau yn y drefn reolaidd. Maent hefyd yn cael anhawster i feddwl yn ddychmygol ac i wahaniaethu rhwng dychymyg a realiti.

Mae plant ag Anhwylder Sbectrwm Awtistig ar gontinwwm o ran difrifoldeb yr amhariad ac yn fynych bydd nifer ohonynt ag anawsterau eraill megis dyspracsia neu ddyslecsia. Er mwyn i'r plant hyn gyflawni eu llawn botensial rhaid darparu amrywiaeth eang o gyfleoedd i ddatblygu'r triad sgiliau uchod o fewn y cwricwlwm.

Gall strategaethau pwrpasol gynnwys:

- sefydlu trefn a strwythur mae'r plentyn yn ei ddeall i'r diwrnod ysgol;
- defnyddio amserlen weledol;
- paratoi'r plentyn ymhell ymlaen llaw os oes unrhyw newidiadau yn y drefn;
- sicrhau fod y plentyn yn eistedd mewn man lle nad oes gormod o bethau i dynnu sylw;
- darparu cymar all ddangos ymddygiad gadarnhaol o fewn y grŵp cymheiriaid;
- defnyddio cwestiynau uniongyrchol a

llythrennol yn hytrach na chwestiynau penagored;

- rhoi gorchmynion clir a phenodol gan ddefnyddio deunydd gweledol os oes angen, e.e. lluniau, diagramau;
- osgoi neu egluro trosiadau, e.e. jôcs, idiomau ac ymadroddion;
- egluro i'r disgybl sut i ddehongli cliwiau cymdeithasol penodol, iaith y corff a mynegiant yr wyneb;
- sicrhau bod y plentyn yn deall ei fod yn cydymffurfio â rheolau'r ysgol;
- darparu gweithgareddau strwythuredig ar gyfer amseroedd distrwythur, e.e. amser chwarae neu amser cinio;
- cytuno ar drefniadau ymlaen llaw os bydd y plentyn yn teimlo'n bryderus, e.e. mynd i'r llyfrgell;
- achub ar gyfleoedd i ganmol y plentyn a dathlu llwyddiant (MacConville, 2010: t.93-94).

Gwybodaeth bellach:
APADGOS (2007ch: 58–61)
Delaney (2009)
Glazzard et al. (2010: 75-87)
Jones (2005)
MacConville (2010: 28-45)
Awtistiaeth Cymru – www.awares.org
Cymdeithas Genedlaethol Awtistiaeth Cymru
– www.autism.org.uk
Y Gymdeithas Awtistiaeth – www.Autism-society.org
Y Gymdeithas Awtistiaeth Genedlaethol – www.nas.org.uk

Apracsia

Apracsia llafar datblygiadol yw'r anallu i gydsymud y gwefusau, y tafod a chyhyrau'r gwddf er mwyn troi seiniau'n eiriau. Bydd pob plentyn ag apracsia yn arddangos nodweddion gwahanol. Mae'n bosib y bydd plant ag apracsia llafar datblygiadol yn medru cyflawni symudiadau eraill yn gwbl naturiol a heb unrhyw drafferth. Rhai o brif nodweddion apracsia llafar datblygiadol yw:

- deall iaith eraill ond cael anhawster i ymateb;
- mynegi geiriau byr ond yn rhwystredig gyda geiriau a brawddegau hirach;
- anawsterau o ran sgiliau cydsymud;
- sgiliau canolbwyntio gwan;
- rhai anawsterau ymddygiad.

Bydd yr Adran Therapi Iaith a Lleferydd yn darparu cyngor ar strategaethau i gefnogi plentyn ag apracsia llafar datblygiadol, e.e.

- gweithgareddau lleferydd-sain;
- ymarferion i wella trefn a chydsymud wrth gynhyrchu iaith lafar;
- defnyddio rhythm a cherddoriaeth i ddatblygu cyfuniad synau;
- defnyddio iaith arwyddo.

Gwybodaeth bellach:
APADGOS (2007ch: 100 -101)
Buttriss & Callander (2008: 29)
AFASIC Cymru (Cymdeithas i gefnogi plant sydd ag anawsterau iaith a chyfathrebu a'u rhieni)- www.afasiccymru.org.uk

Arthritis (Gwynegon)

Mae arthritis yn effeithio ar tuag un ym mhob mil o blant a chyfeirir ato fel arthritis idiopathig plentyndod. Gall y symptomau amrywio o ddydd i ddydd a gallant effeithio ar rai plant yn waeth na'i gilydd. Bydd nifer o blant yn cael cyfnodau pan na fydd y symptomau'n rhy ddrwg ynghyd â chyfnodau pan fyddant yn fwy difrifol. Gelwir cyfnodau gwael iawn yn fflamychiad a bryd hynny bydd plentyn yn debygol o fod yn:

- amharod i ddefnyddio'r cymalau oherwydd eu bod yn boenus neu'n anystwyth, e.e. yn gloff, gwrthod defnyddio dwy law ar gyfer tasg;
- dioddef o heintiau ar y llygaid;
- cael anhawster canolbwyntio a diffyg egni oherwydd meddyginiaeth;
- teimlo'n rhwystredig;
- angen ffisiotherapi dyddiol, weithiau mwy nag unwaith y dydd.

Mewn achosion o'r fath rhaid dilyn cyngor meddygol a chydweithio'n agos gyda'r ffisiotherapydd a rhieni/gofalwyr y plentyn. Gall strategaethau cymorth yn yr ysgol gynnwys:

- ymarferion i ystwytho a chryfhau'r cyhyrau;
- addasu sesiynau Addysg Gorfforol er mwyn osgoi symudiadau a fydd yn effeithio ar yr arthritis;
- helpu'r plentyn gyda gweithgareddau sydd yn achosi trafferth, e.e. defnyddio siswrn;

- sicrhau diogelwch y plentyn mewn gweithgareddau y tu allan ac amser chwarae.

Gwybodaeth bellach:
APADGOS (2007ch: 101)
Buttriss & Callander (2008: 30-31)
Cymdeithas Arthritis Cronig Plant (CCAA) – www.ccaa.org.uk
Sefydliad Arthritis – www.arthritis.org/juvenile-arthritis.php

Asesiad Statudol (o AAA)

Lleiafrif o blant ag ADY fydd angen asesiad statudol oherwydd nodir yng Nghod Ymarfer AAA Cymru (2004: 73) y 'dylai anghenion addysgol arbennig y mwyafrif helaeth o blant gael eu diwallu'n effeithiol mewn sefydliadau prif ffrwd trwy 'Gweithredu yn y Blynyddoedd Cynnar/yn y Blynyddoedd Cynnar a Mwy' neu 'Gweithredu gan yr Ysgol/gan yr Ysgol a Mwy'.

Gall yr ysgol, rhieni/gofalwyr neu asiantaeth arall sydd yn ymwneud â'r plentyn gydweithio er mwyn canfod a oes angen asesiad statudol ar blentyn ai peidio ond nid yw o reidrwydd yn arwain at ddatganiad o AAA. Pan gynhelir asesiad statudol rhaid darparu tystiolaeth i'r Awdurdod Lleol (ALl) o:

- ymyrraeth a wnaethpwyd er mwyn cefnogi'r disgybl,
  e.e. copïau o'r Cynllun Addysg Unigol;
- gweithredu ar gyngor gweithwyr proffesiynol eraill, e.e. gwasanaethau iechyd, gwasanaethau cymdeithasol;
- cynnydd y disgybl dros gyfnod o amser;
- adroddiadau ac asesiadau a gynhaliwyd gan yr

athro/athrawes ddosbarth, y Cydlynydd AAA a /
neu asiantaethau allanol;

- sylwadau'r disgybl ei hun a'i rieni/gwarchodwyr.

Bydd yr ALl yn defnyddio'r wybodaeth yma wrth benderfynu
a ydynt am lunio datganiad o AAA ar gyfer y plentyn ai peidio.
Os na fydd tystiolaeth ddigonol ar gael, gall yr ALl wrthod
mynd ymlaen â'r asesiad statudol. Mae terfynau amser ar gyfer
pob rhan o'r asesiad statudol ac ni ddylai'r broses gymryd
mwy na 26 wythnos fel arfer (LlCC, 2004). Os nad yw'r rhieni/
gwarchodwyr yn cytuno gyda'r broses neu gyda'r asesiad
terfynol mae hawl gyfreithiol ganddynt i apelio yn erbyn y
penderfyniad drwy'r Tribiwnlys AAA.

Er hynny bwriad Llywodraeth Cymru (2012: t.11) yw dileu'r
system ddatganiadau gyfredol am ei bod yn system
'aneffeithlon', 'biwrocrataidd', 'cymhleth' a 'drud' ac un nad sy'n
canolbwyntio'n ddigonol ar y plentyn. Bwriedir felly cyflwyno
fframwaith mwy cynhwysol a hyblyg ar gyfer yr unigolyn, y
rhieni, yr athrawon a'r asiantaethau allanol ar ffurf Cynllun
Datblygu Unigol (CDU) integredig ar gyfer plant a phobl ifanc
o enedigaeth hyd at bump ar hugain oed.

Gwybodaeth bellach:
Glazzard et al. (2010: 23-24)
LlC (2012)
LlCC (2004 – Pennod 7)
Gwefan y Llywodraeth –
www.direct.gov.uk/cy/Parents/
Schoolslearninganddevelopment/
SpecialEducationalNeeds/DG_4000835CY

Asiantaethau Allanol

O ganlyniad i Ddeddf Plant (2004) a pholisi Llywodraeth Cynulliad Cymru (2007) 'Plant a Phobl Ifanc, Gweithredu'r Hawliau', rhoddwyd pwyslais cynyddol ar yr angen i bob person proffesiynol sydd ynghlwm ag unrhyw blentyn i gydweithio'n agos er lles a budd y plentyn hwnnw. Pan mae plentyn ag ADY yn y dosbarth neu'r ysgol gallwch ddod i gysylltiad a chydweithio â hwy ag un neu fwy o'r canlynol:

- Paediatregydd;
- Seicolegydd addysg;
- Gweithwyr cymdeithasol;
- Therapydd Iaith a Lleferydd;
- Therapydd Galwedigaethol;
- Y Gwasanaeth Iechyd;
- Swyddog Lles;
- Gwasanaethau Iechyd Meddwl Plant a Phobl Ifanc (CAMES);
- NSPCC;
- Barnardo's;
- Cynorthwyydd Cefnogi Emosiynol ac Ymddygiadol (SEBSA);
- Gwasanaethau i blant â nam ar y clyw;
- Gwasanaethau i blant â nam ar y golwg;
- Gwasanaethau Cymorth yr Awdurdod Lleol;
- Dechrau'n Deg (Glazzard et al. 2010).

Mae gan bob un o'r rhain wahanol ddyletswyddau a chyfrifoldebau dros y plant maent yn gweithio gyda hwy ac mae'n bwysig bod athrawon a Chydlynwyr AAA yn bennaf yn cyfathrebu ac yn cydweithio'n effeithiol gyda hwy er mwyn elwa o'u cyngor a'u harbenigedd ac er lles a datblygiad y plentyn. Gall hyn fod ar lefel sgwrs, adroddiadau ysgrifenedig neu gyfraniad tuag at adolygiad blynyddol neu asesiad statudol. Ceir gwahaniaethau rhwng gwahanol ardaloedd ac felly mae'n bwysig deall sut mae'r system yn gweithio yn yr ardal lle lleolir yr ysgol.

Gwybodaeth bellach:
Buttriss & Callander (2008: 143-156)
Glazzard et al. (2010: 115-129)
LICC (2007)

Asthma

Dengys ystadegau Asthma Cymru bod tua 59,000 o blant yn dioddef o asthma yng Nghymru. Dyma gyflwr sy'n effeithio ar y llwybrau anadlu sydd yn cario aer i mewn ac allan o'r ysgyfaint. Wrth ddod i gysylltiad â rhywbeth sydd yn cythruddo'r llwybr anadlu (sbardun yr asthma), caiff y plentyn bwl o asthma a thrafferth i anadlu. Gall y sbardun amrywio o blentyn i blentyn ond y rhai mwyaf cyffredin yw:

- haint feirol, e.e. annwyd, ffliw;
- alergedd, e.e. gwair, paill, ffwr anifeiliaid neu lwch y tŷ;
- pethau llidus, e.e. awyr oer, ysmygu goddefol;
- ymarfer corff mewn tywydd oer a sych;
- straen neu bryder.

Mae ymarfer corff rheolaidd yn fuddiol ac mae'n bosib bydd y plentyn hefyd yn derbyn meddyginiaeth. Nid yw asthma o reidrwydd yn effeithio ar allu plentyn i ddysgu a chanolbwyntio, ond gall y symptomau achosi blinder a diffyg egni a bydd hyn yn debygol o effeithio ar y dysgu (Buttriss & Callander, 2008).

Pan mae plant yn cael pwl o asthma gallwch eu cefnogi drwy:

- eu hannog i anadlu yn araf ac yn ddwfn;
- sicrhau eu bod yn eistedd yn hytrach nag yn sefyll;
- aros yn dawel a'u hannog hwy i dawelu ac ymlacio cymaint â phosib;
- eu cynorthwyo i esmwytháu'r symptomau trwy feddyginiaeth, defnyddio mewnanadlydd (gan ddilyn y cyfarwyddiadau);
- helpu plant ifanc i ddefnyddio teclyn 'spacer';
- galw am gyngor meddygol neu ambiwlans os nad yw'r feddyginiaeth yn effeithiol neu os bydd y plentyn yn anesmwyth iawn.

Os oes gan blant ag asthma unrhyw feddyginiaeth neu declynnau i'w defnyddio pan maent yn cael pwl, dylid;

- rhoi enw'r plentyn arnynt yn glir;
- eu storio yn ddiogel;
- sicrhau eu bod o fewn cyrraedd yn ystod gweithgareddau y tu mewn a thu allan i'r dosbarth a'r ysgol.

Gwybodaeth bellach:
Buttriss & Callander (2008: 34-35)
Asthma UK Cymru – www.asthma.org.uk/wales/

Atal Dweud

Bydd plentyn ag atal dweud yn siarad yn betrusgar ac mewn modd herciog, yn ymdrechu'n galed i orffen rhai geiriau ac yn ailadrodd neu ymestyn rhai synau o fewn geiriau. Gall atal dweud effeithio ar bobl mewn gwahanol ffyrdd ac i wahanol raddau, er gall ambell blentyn brofi'r problemau hyn heb ddatblygu atal dweud. Nid yw plentyn fel arfer yn tyfu allan o atal dweud yn gyfan gwbl ond yn hytrach yn dysgu ei reoli trwy anogaeth sensitif yr oedolion o'i g/chwmpas a chefnogaeth broffesiynol gan therapydd iaith a lleferydd. Bydd plant ag atal dweud yn dioddef llawer o bryder, ofn ac embaras, felly mae'n bwysig bod yr oedolion o'u cwmpas yn gwrando'n amyneddgar ac yn peidio â'u rhuthro. Yn aml bydd plant sydd ag atal dweud mewn sgwrs arferol yn medru cyfathrebu heb unrhyw rwystrau mewn rôl wahanol megis canu neu actio, felly mae'n bwysig eu bod yn cael cyfleoedd i gymryd rhan mewn gweithgareddau o'r fath (Buttriss & Callander, 2008).

Gellir eu cefnogi ymhellach drwy:

- arafu wrth siarad â hwy;
- rhoi amser iddynt ymateb;
- peidio ymyrryd pan fyddant yn siarad;
- peidio ateb drostynt na cheisio gorffen eu brawddegau;
- rhoi cyfleoedd iddynt siarad am eu diddordebau;
- lleihau'r nifer o gwestiynau a ofynnir iddynt;
- creu amgylchedd dysgu hamddenol;
- rhoi digon o glod ac anogaeth i godi hyder a hunan-barch;

- defnyddio cyswllt llygad i ddangos diddordeb yn yr hyn sydd ganddynt i'w ddweud yn hytrach na'r modd y maent yn ei ddweud;
- cydweithio'n agos gyda'r therapydd iaith a lleferydd.

Gwybodaeth bellach:
Buttriss & Callander (2008: 101-102)
Y Gymdeithas Atal Dweud Prydeinig –
www.stammering.org/under5_welsh.html

Canser

Mae'r math o ganser gaiff plant yn amrywio'n fawr o'r math a gaiff oedolyn. Gall canser fod yn bresennol mewn gwahanol rannau o'r corff a byddant yn ymateb yn wahanol i driniaethau, ond mae cyfartaledd gwelliant plant tipyn uwch na chyfartaledd gwelliant oedolion sydd â'r un math o ganser (Chambers, 2008).

Pan mae plentyn yn derbyn diagnosis o ganser, bydd yn gyfnod anodd ac emosiynol iawn i'r teulu, ffrindiau a phawb sydd yn adnabod y plentyn. Bydd yr athrawon dosbarth yn chwarae rôl hanfodol wrth gefnogi'r plentyn a'i d/theulu trwy:
- wrando arnynt ond nid eu gwthio i rannu gwybodaeth;
- ystyried teimladau a chefnogi brodyr a chwiorydd;
- cadw mewn cysylltiad ynglŷn â chyflwr y plentyn;
- hysbysu'r rhieni o unrhyw ddigwyddiadau yn yr ysgol;
- darparu gwaith yn y cartref ar gyfer y plentyn

pan mae'n teimlo'n ddigon da i wneud hynny – weithiau darperir cymorth dysgu yn y cartref;

- sicrhau bod y plentyn yn medru mynychu'r ysgol pan mae'n abl i wneud hynny ac addasu ar ei g/chyfer;
- rhannu gwybodaeth am gyflwr y plentyn yn sensitif gyda gweddill y disgyblion er mwyn osgoi rhagdybiaethau;
- annog y disgyblion i ysgrifennu cardiau, llythyron, e-byst neu ddyddiadur o ddigwyddiadau'r dosbarth i'r plentyn;
- rhannu gwybodaeth gyda gweddill staff yr ysgol;
- derbyn cyngor oddi wrth weithwyr proffesiynol ynglŷn â'r dulliau gorau o gefnogi'r plentyn;
- sicrhau bod y plentyn a'r rhieni yn cael eu cynnwys ym mhob agwedd ar fywyd yr ysgol trwy gydol yr amser (Chambers, 2008).

Gwybodaeth bellach:
Chambers (2008)
Cymdeithas CLIC Sargent ar gyfer plant â chanser - www.clicsargent.org.uk/Aboutchildhoodcancer/Forteachers

Clust Ludiog (Glue Ear)

Mae nifer o blant oed cynradd yn dioddef o glustiau gludiog, yn enwedig os oes ganddynt annwyd, ffliw neu fân heintiau a chlefydau eraill ac mae'r symptomau yn medru ailymddangos yn rheolaidd. Cyfeiria'r term clust ludiog at nam ar y clyw o ganlyniad i lid cronig neu aciwt a hylif yn cronni yn y glust ganol. Dyma gyflwr sydd fwyaf cyffredin ymhlith plant dan

bump oed ond gall hefyd barhau trwy gyfnod plentyndod. Mae clust ludiog yn achosi poen a nam ar y clyw dros dro. Gall hefyd effeithio ar ddatblygiad iaith a llafaredd, ymddygiad a chynnydd addysgol y plentyn.
(Y Gymdeithas Genedlaethol i Blant Byddar, 2008).

Gall arwyddion clust ludiog gynnwys:
- siarad yn uchel heb ymwybyddiaeth o lefel y llais;
- sgiliau gwrando a chanolbwyntio gwan;
- anawsterau gyda datblygu sŵn llythrennau a geiriau;
- encilio ac yn eu byd bach eu hunain;
- anawsterau rhyngweithio gyda mwy nag un neu ddau berson ar y tro;
- methu cymryd rhan lawn mewn gweithgareddau grŵp;
- angen y radio/teledu ymlaen ar lefel uchel o ran sŵn;
- angen derbyn cyfarwyddiadau yn araf a chlir ac weithiau angen eu hailadrodd;
- cael anhawster cymryd rhan mewn gweithgareddau canu a cherddoriaeth;
- rhoi dwylo dros eu clustiau yn aml;
- cael haint clust, trwyn neu wddf yn aml.

Os yw'r symptomau'n parhau bydd arbenigwr clustiau, trwyn a gwddf yn cynghori llawdriniaeth syml i osod gromedau yn y glust i alluogi'r hylif i ddraenio o'r glust ganol (Buttriss & Callander, 2008). Yn y dosbarth mae'n bwysig siarad yn araf a chlir a gadael i'r plentyn eistedd lle gall weld wyneb yr oedolyn. Mae sicrhau lefel isel o sŵn cefndirol yn y dosbarth a chyfleoedd i weithio mewn pâr yn hytrach na mewn grŵp hefyd o gymorth.

Gwybodaeth bellach:
Buttriss & Callander (2008: 66)
Y Gymdeithas Genedlaethol i Blant Byddar (2008)

Cod Ymarfer Anghenion Addysgol Arbennig (AAA) Cymru 2002

Cyhoeddwyd Cod Ymarfer AAA Cymru yn 2002 a chafodd ei ailargraffu yn 2004. Caiff AAA ei ddiffinio yn Neddf Addysg 1996 fel a ganlyn:

'Mae gan blant anghenion addysgol arbennig os oes ganddynt anhawster dysgu sy'n golygu ei bod yn ofynnol gwneud darpariaeth addysgol arbennig ar eu cyfer' (LlCC, 2004: 1). Mae hwn yn gwahaniaethu ychydig oddi wrth y ddogfen gyfatebol yn Lloegr ond yn nodi pum prif egwyddor i'w hystyried, sef:

i.   dylid diwallu anghenion plant ag AAA;
ii.   diwellir eu hanghenion mewn ysgol prif ffrwd fel arfer;
iii.   dylid gofyn am ac ystyried barn y plant eu hunain;
iv.   mae gan rieni/gwarchodwyr ran allweddol i'w chwarae yn addysg eu plentyn;
v.   dylai plant ag AAA gael mynediad i gwricwlwm eang, cytbwys a pherthnasol yn y Cyfnod Sylfaen a'r blynyddoedd dilynol (Grigg, 2010).

Bwriad y Cod Ymarfer yw darparu canllawiau ymarferol a chyngor i Awdurdodau Addysg Lleol (ALl), cyrff llywodraethu ysgolion y wladwriaeth a sefydliadau blynyddoedd cynnar a gyllidir gan y llywodraeth ynglŷn â'u cyfrifoldebau i ddarparu addysg gynhwysol ar gyfer plant ag AAA. Caiff hyn ei amlinellu ym mholisi AAA/ADY neu bolisi cynhwysiant yr ysgol neu'r sefydliad.

Rhennir y Cod Ymarfer i 10 rhan sef:

- Pennod 1: Egwyddorion a pholisïau sy'n gosod cyd-destun y Cod Ymarfer a'r egwyddorion a'r deddfwriaethau craidd.
- Pennod 2: Gweithio mewn partneriaeth â rhieni.
- Pennod 3: Cyfranogiad y disgybl a llais y plentyn.
- Penodau 4–6: Canfod, Asesu a Darparu yn y Blynyddoedd Cynnar, a'r sectorau Cynradd ac Uwchradd.
- Penodau 7–9: Asesiad statudol o AAA, datganiadau AAA ac adolygiadau blynyddol.
- Pennod 10: Gweithio mewn partneriaeth ag asiantaethau eraill.

Ar y diwedd ceir rhestr ddefnyddiol o eirfa ac eglurhad byr o dermau a ddefnyddir yn y ddogfen (LICC, 2004).

Mae'n ofynnol i athrawon a phob aelod o staff sydd yn gweithio gyda phlant ag AAA fod yn ymwybodol o'r cyfrifoldebau sy'n deillio o ddeddfwriaeth a'r canllawiau a amlinellir yn y Cod Ymarfer a'u rôl benodol hwy (Grigg, 2010). Bydd hyn yn eu galluogi i ddiwallu anghenion pob disgybl o fewn y dosbarth gan gynnwys y rhai hynny ag AAA/ADY.

Er hynny bwriad Llywodraeth Cymru (2012) yw disodli'r Cod Ymarfer AAA presennol a chyflwyno Cod Ymarfer Anghenion Ychwanegol newydd. Bydd hwn yn gosod canllawiau clir ynglŷn â rôl a chyfrifoldebau'r darparwyr a strategaethau pendant i sicrhau ansawdd a darpariaeth yn unol â'r datblygiadau arfaethedig.

> **Gwybodaeth bellach:**
> Grigg (2010: 270–298)
> LICC (2012)
> LICC (2004)

Cof Clywedol

Cof clywedol yw'r gallu i alw i gof gwybodaeth sydd wedi ei rhoi ar lafar. Bydd yr wybodaeth yn cael ei chadw am gyfnod byr (cof tymor byr), ei hymarfer a'i chadw am gyfnod hirach (cof tymor hir) neu ei chadw a'i galw i gof yn y drefn gywir (cof clywedol dilyniannol). Bydd plant sydd ag anawsterau o ran cof clywedol:

- ddim ond yn medru cadw ychydig eitemau o wybodaeth o wers neu gyflwyniad llafar;
- yn cael anhawster galw gwybodaeth i gof yn dilyn cyfnod amser os na ddarperir strategaethau gweledol i'w helpu;
- angen gorddysgu cysyniadau a sgiliau gwybodaeth;
- yn cael anhawster galw gwybodaeth i gof yn y drefn gywir;
- yn meddu ar gryfderau gweledol/gofodol – dysgu yn well o ddiagramau a deunydd gweledol megis DVD;

- yn meddu ar gof gweledol da – medru delweddu gwybodaeth a'i chyflwyno ar ffurf mapiau meddwl, siartiau a lluniau;
- yn meddu ar gryfderau cinesthetig – dysgu'n well trwy symud a chyffwrdd.

Rhai gweithgareddau i ddatblygu cof clywedol yw:
- caneuon a rhigymau lle ceir dilyniant, e.e. 'Deg crocodeil yn nofio yn yr afon';
- gweithgareddau cof – galw i gof patrymau sy'n ailadrodd, e.e. lliwiau, rhifau, siapiau;
- mapiau meddwl i helpu galw i gof gwybodaeth allweddol ac i ymarfer a chadw gwybodaeth;
- siartiau llif i alw i gof y prif bwyntiau wrth gyfeirio at waith ffuglen neu ffeithiol;
- storïau – defnyddio lluniau i gyfleu'r prif ddigwyddiadau.

Gwybodaeth bellach:
Buttriss & Callander (2008: 119)

Cof Gweledol

Cof gweledol yw'r gallu i alw i gof gwybodaeth a gyflwynwyd yn weledol. Fel gydag anawsterau cof clywedol gall yr wybodaeth gael ei chadw am gyfnod byr (cof tymor byr), ei hymarfer a'i chadw am gyfnod hirach (cof tymor hir) neu ei chadw a'i galw i gof yn y drefn gywir (cof gweledol dilyniannol). Bydd plant sydd ag anawsterau o ran cof gweledol yn:
- cael anhawster i alw i gof batrymau, siapiau a chynlluniau;
- meddu ar sgiliau anaeddfed o ran cynnwys manylion wrth ddarlunio;

- cael anhawster i ddysgu geirfa weledol a sillafu geiriau amledd uchel;
- cael anhawster gyda chyfeiriadaeth llythrennau a rhifau;
- cael anhawster darllen cerddoriaeth;
- mwynhau defnyddio strategaethau amlsynhwyraidd wrth ddysgu;
- defnyddio dulliau clywedol i alw gwybodaeth i gof;
- meddu ar gryfderau mewn rhesymeg, a sgiliau rhesymu llafar a dieiriau;
- meddu ar gryfderau cinesthetig ac yn dysgu'n well trwy symud a chyffwrdd.

Mae rhai gweithgareddau i ddatblygu cof gweledol yn cynnwys:
- gweithgareddau galw i gof – dangos gwrthrych neu lun yna ei guddio a gofyn i'r plentyn alw i gof cymaint o fanylion ag sy'n bosib;
- cwblhau siâp neu lun o'r cof;
- galw i gof ddilyniant o siapiau neu ddarluniau;
- gemau sillafu cof gweledol, e.e. 'Snakes & Ladders' lle mae'n rhaid i'r plentyn sillafu gair yn gywir er mwyn symud o amgylch y bwrdd.

Gwybodaeth bellach:
Buttriss & Callander (2008: 137-138)

Cydlynydd Anghenion Addysgol Arbennig (AAA)

Er bod pob athro ac athrawes yn athrawon i ddisgyblion ag AAA/ADY, nodwyd yn Neddf Addysg 1993 y dylid penodi un person ym mhob ysgol neu sefydliad blynyddoedd cynnar â gwybodaeth a chyfrifoldeb dros AAA/ADY. Y term a ddefnyddir yn y Cod Ymarfer (LlCC, 2004) ar gyfer y rôl hon yw 'Cydlynydd AAA' ond erbyn heddiw caiff nifer o dermau eu defnyddio gan gynnwys:

- Cydgysylltydd AAA/ADY;
- Cydlynydd/Cydgysylltydd cynhwysiant;
- Swyddog AAA/ADY;
- Swyddog cynhwysiant.

'Mae'r Cydlynydd AAA, mewn ymgynghoriad â'r pennaeth a'r corff llywodraethu, yn chwarae rhan allweddol yn y gwaith o benderfynu ar ddatblygiad strategol y polisi a'r ddarpariaeth AAA yn yr ysgol er mwyn gwella cyflawniadau disgyblion sydd ag AAA' (LlCC, 2004:49).

Mae prif ddyletswyddau'r Cydlynydd AAA yn cynnwys:

- arolygu gweithrediad polisi AAA/ADY yr ysgol o ddydd i ddydd;
- cydlynu'r ddarpariaeth ar gyfer disgyblion ag AAA/ADY;
- cysylltu gydag a chynghori athrawon eraill o fewn yr ysgol;
- rheoli cynorthwywyr dysgu;
- arolygu cofnodion disgyblion ag AAA/ADY, e.e. monitro ac asesu;
- cysylltu gyda rhieni/gofalwyr disgyblion ag

AAA/ADY;
- cyfrannu tuag at hyfforddiant mewn swydd aelodau staff;
- cysylltu gydag asiantaethau allanol gan gynnwys adrannau cefnogaeth a seicoleg addysg yr ALl, y gwasanaethau iechyd a chymdeithasol, a mudiadau gwirfoddol (LlCC, 2004: 49).

Awgrymir hefyd y dylai'r Cydlynydd AAA:
- gael amser rhydd o ddysgu er mwyn ymgymryd â'r tasgau sy'n ofynnol i'r swydd;
- cael defnydd o ffôn a chefnogaeth weinyddol;
- bod ag ystafell gyfweld yn gyfleus;
- cael ei h/ystyried fel aelod uwch o staff, gyda'r un statws â chydlynydd cwricwlwm ac yn aelod o'r uwch dîm rheoli (LlCC, 2004: 49-50).

Bydd y rôl hon yn amrywio o un sefydliad i'r llall a'r heriau a'r sialensiau yn gwahaniaethu'n ddirfawr. Er hynny y nod yw sicrhau a hybu ethos cynhwysol o fewn y sefydliad er mwyn diwallu anghenion amrywiol ac weithiau lluosog pob dysgwr ag AAA /ADY. Dyma rai cynghorion a fydd o gymorth i sicrhau hyn:
- cydlynu yn hytrach na gwneud;
- trafod amser er mwyn cyflawni dyletswyddau;
- defnyddio amser yn effeithiol;
- defnyddio TGCh i gefnogi'r rôl;
- siarad gyda chydlynwyr AAA/ADY eraill;
- defnyddio arbenigedd eraill;
- codi ymwybyddiaeth;
- monitro a gwerthuso'n rheolaidd;
- mynnu adnoddau pwrpasol o'r radd flaenaf;

- diweddaru a datblygu gwybodaeth bersonol (APADGOS, 2007ch: 12).

Yn natblygiadau arfaethedig Llywodraeth Cymru (2012) awgrymir y teitl 'Cydgysylltydd Cymorth' yn hytrach na 'Chydlynydd AAA'. Nodir y bydd y rôl hon yn cynnwys cydgysylltu proses y Cynllun Datblygu Unigol yn ogystal â gwasanaethau i'r plentyn neu'r person ifanc, ond cyhoeddir canllawiau pellach ar rolau a chyfrifoldebau'r Cydgysylltydd Cymorth maes o law.

Gwybodaeth bellach:
APADGOS (2007ch: 10–12)
Edwards (2011)
LIC (2012)
LICC (2004)

Cydraddoldeb ac Amrywiaeth

Dylai amrywiaeth a chydraddoldeb fod yn agwedd greiddiol o ethos ac athroniaeth ysgol (Estyn, 2005). Cydraddoldeb yw'r term a ddefnyddir i olygu 'cyfleoedd cyfartal', ac mae gofynion deddfwriaethol ar ysgolion i atal camwahaniaethu ar sail:
- rhyw;
- oed;
- anabledd;
- hil;
- crefydd;
- diwylliant;
- cenedligrwydd;
- cefndir cymdeithasol ac economaidd;

- iechyd;
- cefndir teuluol;
- gwerthoedd.

Mae'n ddyletswydd ar ysgolion i sicrhau hawliau amrywiaeth a chydraddoldeb disgyblion, rhieni ac aelodau staff yn unol â Deddf Gwahaniaethu ar Sail Anabledd 1995 (diwygiwyd yn 2005) a Deddf Cydraddoldeb 2010 . Caiff hyn ei amlinellu ym mholisi Cydraddoldeb ac Amrywiaeth pob ysgol. O ganlyniad dylai pob disgybl gael mynediad llawn ac addas i'r holl weithgareddau cwricwlaidd ac allgyrsiol a gynigir gan y sefydliad. Mae gan rieni'r un hawl i dderbyn gwybodaeth am eu plant mewn ffurfiau addas, e.e. iaith arall, braille.

Mae'r term 'amrywiaeth' yn awgrymu ystod o nodweddion ac mae dosbarth ac ysgol amlddiwylliannol, amlieithog gyda disgyblion ac aelodau staff o wahanol gefndiroedd ac o wahanol allu yn sicrhau amgylchedd dysgu cyfoethog. Dylai'r amrywiaeth hyn gael ei adlewyrchu yn amgylchedd yr ysgol er mwyn meithrin ymdeimlad o berthyn trwy:
- hybu agweddau cadarnhaol tuag at bob plentyn, gan sefydlu awyrgylch o barch tuag at bawb sy'n perthyn i gymuned yr ysgol a'r gymuned ehangach;
- creu arddangosfeydd sydd yn dathlu amrywiaeth, e.e. Diwali, Blwyddyn Newydd Tsieineaidd;
- defnyddio adnoddau dysgu ac addysgu sydd yn dangos amrywiaeth, e.e. dillad gwisgo lan, arteffactau;
- addasu'r amgylchedd dysgu a/neu'r amgylchedd ffisegol er mwyn diwallu anghenion pob dysgwr (Glazzard et al., 2010).

Gwybodaeth bellach:
APADGOS (2007c)
APADGOS (2010)
Estyn (2005)
Glazzard et al. (2010)
Comisiwn Cydraddoldeb a Hawliau Dynol –
www.equalityhumanrights.com/hafan/cyngor-ac-arweiniad/
darparwyr-addysg-a-hyfforddiant/darparu-mynediad-i-
addysg-effeithiol

Cyfranogiad

Mae Pennod 3 Cod Ymarfer AAA yn nodi materion yn ymwneud â chyfranogiad y disgybl. Deillia'r term 'cyfranogiad y disgybl' o Erthyglau 12 ac 13, Cytundeb y Cenhedloedd Unedig ar Hawliau'r Plentyn lle nodir y dylai plentyn sydd â'r gallu i lunio barn gael yr hawl i gyfrannu tuag at unrhyw benderfyniadau yn ymwneud â hwy ac i'r farn honno gael ei hystyried (LlCC, 2004). Dylid gwneud hyn yn unol ag oed, aeddfedrwydd, dealltwriaeth a gallu'r plentyn. Gall hyn fod ar lefel adolygiad blynyddol, wrth lunio Cynllun Addysg/Chwarae/Ymddygiad Unigol neu yn ystod asesiad statudol.

Gwybodaeth bellach:
LlCC (2004 – Pennod 3)
Spooner (2011: 15-16)

Cymorth/Cefnogi Cynnar

Rhaglen a ariennir gan Lywodraeth Cymru yw Cymorth Cynnar er mwyn gwella gwasanaethau ar gyfer teuluoedd plant anabl dan bump oed. Prif nod y rhaglen yw gwella ansawdd y ddarpariaeth ar gyfer plant a'u teuluoedd trwy annog cydweithio a chydlynu mwy effeithiol rhwng y gwahanol wasanaethau cefnogi. Canolbwyntir ar anghenion y teulu yn ogystal ag anghenion y plentyn er mwyn sicrhau ymyrraeth gynnar ac effeithiol. Datblygwyd ystod o adnoddau a hyfforddiant ar gyfer y rhaglen hon yn Lloegr yn wreiddiol a chawsant eu diweddaru a'u haddasu i'r cyd-destun Cymreig (Cefnogi Cynnar, 2012).

Mae'r elusen Plant yng Nghymru wrthi'n arwain partneriaeth o fudiadau gwirfoddol i roi'r rhaglen hon ar waith fesul cam ledled Cymru ar hyn o bryd. Bwriedir defnyddio model y rhaglen hon fel arfer da ar gyfer gweithredu y Cynllun Datblygu Unigol arfaethedig (LIC, 2012).

Gwybodaeth bellach:
LICC (2012)
Gwefan Cefnogi Cynnar – www.cefnogicynnarcymru.org.uk/
Gwefan Plant yng Nghymru ar gyfer sicrhau hawliau plant a phobl ifanc – www.plantyngnghymru.org.uk/index.html

Cynhwysiant

Mae cynhwysiant yn un o ofynion deddfwriaethau a pholisïau yn ymwneud â hawliau plant ag ADY yn ogystal ag yn agwedd foesol tuag at amrywiaeth a chydraddoldeb. Mae addysg gynhwysol yn parchu a gwerthfawrogi pob unigolyn ac yn croesawu amrywiaeth fel adnodd cyfoethog ar gyfer dysgu (CSIE, 2011). Ceir tair prif egwyddor sy'n cylchdroi er mwyn sicrhau cynhwysiant effeithiol, sef:
i.   cynhyrchu polisïau cynhwysol;

ii.   creu diwylliant cynhwysol;

iii.   datblygu ymarferion cynhwysol (Ainscow et al., 2006).

Mewn cyd-destun addysgol mae cynhwysiant yn:

- parchu pob disgybl ac aelod o staff yn gyfartal;
- cynyddu cyfranogiad disgyblion yn niwylliant, cwricwlwm a chymuned yr ysgol leol;
- lleihau gwaharddiad disgyblion o ddiwylliant, cwricwlwm a chymuned yr ysgol leol;
- ailstrwythuro diwylliant, polisïau ac ymarferion yr ysgol er mwyn ymateb i amrywiaeth y disgyblion yn yr ardal;
- lleihau rhwystrau tuag at ddysgu a chyfranogiad pob disgybl, nid yn unig rhai â nam neu ag AAA;
- gwneud newidiadau er budd ystod o ddisgyblion trwy ddysgu o ymdrechion i oresgyn rhwystrau disgyblion penodol;
- ystyried gwahaniaethau rhwng disgyblion fel adnoddau i gefnogi dysgu yn hytrach na phroblemau i'w goresgyn;
- cydnabod hawl pob plentyn i dderbyn addysg yn ei g/chymuned leol;
- gwella'r ysgol er budd y staff yn ogystal â'r disgyblion;
- pwysleisio rôl yr ysgol fel rhan o gymuned trwy ddatblygu gwerthoedd yn ogystal â chynyddu cyrhaeddiad;
- meithrin perthynas gynhaliol rhwng yr ysgol a'r gymuned leol;
- cydnabod bod cynhwysiant mewn addysg yn un agwedd ar gynhwysiant mewn cymdeithas (CSIE, 2011).

Nod cynhwysiant yw sicrhau mynediad i a chyfranogiad mewn ystod eang o gyfleoedd addysgiadol a chymdeithasol a ddarperir gan yr ysgol ar gyfer pob disgybl gan osgoi eithrio o unrhyw fath. Gall hyn gynnwys:

- y cwricwlwm;
- asesu;
- cofnodi ac adrodd nôl am gyrhaeddiad disgyblion;
- amgylchedd y sefydliad;
- penderfyniadau yn ymwneud â'r plentyn;
- grwpio o fewn y dosbarth a'r ysgol;
- pedagogaeth ac ymarfer yn y dosbarth;
- gweithgareddau chwaraeon;
- gweithgareddau allgyrsiol a hamdden (Mittler, 2006).

Gwybodaeth bellach:

Booth et al. (2002)

Booth & Ainscow (2006)

Mittler (2006)

Canolfan Astudiaethau ar Addysg Gynhwysol (CSIE) – www.inclusion.org.uk

Rhieni Dros Gynhwysiant – www.parentsforinclusion.org

Cynllun Addysg Grŵp

Mewn rhai achosion caiff Cynllun Addysg Grŵp ei baratoi os oes nifer o blant ag ADY o fewn yr un dosbarth yn rhannu'r un targedau ac angen yr un strategaethau o ran dysgu ac addysgu. Dilynir yr un drefn ag a nodir ar gyfer Cynllun Addysg Unigol. Eithriad yw hyn gan fod pob plentyn ag anghenion unigol ac unigryw ac mae'n bwysig bod y cynllun yn adlewyrchu hynny.

Gwybodaeth bellach:
Grigg (2010: 273)
Jones (2004: 41)

Cynllun Addysg Unigol (CAU)

Mae'r Cynllun Addysg Unigol yn gynllun dysgu ac addysgu ar gyfer plentyn ag ADY yn unol â'r canllawiau a nodir yn y Cod Ymarfer AAA i Gymru (2002). Bwriad hwn yw nodi'r camau hynny a gymerir o ran strategaethau dysgu ac addysgu sydd yn wahanol i'r hyn a ddarperir i weddill y dosbarth. Gweithredir CAU ar gyfer y disgyblion hynny sydd ar lefel Gweithredu yn y Blynyddoedd Cynnar/Gweithredu gan yr Ysgol neu Gweithredu yn y Blynyddoedd Cynnar a Mwy/ Gweithredu gan yr Ysgol a Mwy a phlant â datganiadau o AAA yn unol â'r Cod Ymarfer AAA (LlCC, 2004).

Mae'r CAU yn gyfrwng i gofnodi yn glir, cryno a dealladwy:

- targedau tymor byr y plentyn, e.e. 3-4 targed CAMPUS (cyraeddadwy, amserol, mesuradwy, penodol, uchelgeisiol, synhwyrol);
- strategaethau addysgu a ddefnyddir yn wahanol i weddill y dosbarth er mwyn gwneud cynnydd gan ystyried cryfderau a llwyddiannau presennol y plentyn;
- y ddarpariaeth neu'r ymyrraeth a gyflwynir;
- dyddiad adolygu'r cynllun;
- meini prawf llwyddiant ar gyfer mesur a gyrhaeddwyd y targedau ai peidio ac a ddylid

gadael y cynllun;
- y canlyniadau (DfES, 2001 dyfynnir yn Glazzard et al., 2010).

Dylid adolygu'r CAU o leiaf ddwywaith y flwyddyn a dylai'r rhieni neu ofalwyr fod yn rhan o'r broses honno yn ogystal â'r plentyn ei hun 'ar lefel briodol' (LICC, 2004: 42). Cyfrifoldeb y Cydlynydd AAA yw monitro ac adolygu'r broses hon mewn cydweithrediad â'r athrawon dosbarth.

Awgryma Glazzard et al. (2010) y dylai athrawon nodi dulliau pedagogaidd arloesol i ysgogi a chefnogi'r dysgu wrth lunio targedau ar gyfer y CAU yn hytrach na chanolbwyntio ar godi cyrhaeddiad yn unig.

Mae CAU llwyddiannus yn:
- gryno ac yn seiliedig ar weithredoedd;
- defnyddio iaith syml a dealladwy;
- cofnodi pwy, beth, sut a phryd;
- nodi a dathlu cryfderau a lefel cyrhaeddiad presennol y plentyn;
- adnabod natur a maint anghenion dysgu'r plentyn;
- cynnwys targedau penodol a pherthnasol;
- nodi sut y gall oedolion eraill gan gynnwys rhieni a gofalwyr gynorthwyo'r plentyn;
- nodi unrhyw adnoddau ychwanegol sydd eu hangen gan gynnwys anghenion meddygol;
- gosod dyddiadau clir ar gyfer diweddaru ac adolygu'r cynllun.

Gwybodaeth bellach:
Glazzard et al. (2010: 22-23)
Grigg (2010: 273)
Jones (2004: 40-46)
LICC (2004)

Cynllun Chwarae Unigol

O fewn y Cyfnod Sylfaen y ddogfen gyfatebol i'r Cynllun Addysg Unigol yw'r Cynllun Chwarae Unigol oherwydd mai cwricwlwm chwarae-ganolog a ddarperir. Caiff y Cynllun Chwarae Unigol ei ddiffinio fel:

'cynllun dysgu ac addysgu dynamig a chadarnhaol sy'n amlinellu 'beth', 'sut' a 'pha mor aml' y dylid addysgu gwybodaeth, dealltwriaeth a sgiliau penodol trwy gyfrwng gweithgareddau sy'n ychwanegol at neu'n wahanol i'r gweithgareddau hynny a ddarperir ar gyfer yr holl blant eraill yn y dosbarth neu'r lleoliad yn rhan o gwricwlwm gwahaniaethol y Cyfnod Sylfaen' (APADGOS, 2007ch).

Fel gyda'r Cynllun Addysg Unigol dylid cofnodi yn glir, yn gryno a dealladwy:

- targedau tymor byr y plentyn, e.e. 3-4 targed CAMPUS (cyraeddadwy, amserol, mesuradwy, penodol, uchelgeisiol, synhwyrol);
- strategaethau addysgu a ddefnyddir yn wahanol i weddill y dosbarth er mwyn gwneud cynnydd gan ystyried cryfderau a llwyddiannau presennol y plentyn;
- y ddarpariaeth neu'r ymyrraeth a gyflwynir;
- dyddiad adolygu'r cynllun;
- meini prawf llwyddiant ar gyfer mesur a

gyrhaeddwyd y targedau ai peidio ac a ddylid gadael y cynllun;
- canlyniadau'r adolygiad (DfES, 2001 dyfynnir yn Glazzard et al., 2010).

Gweithredir y Cynllun Chwarae Unigol ar gyfer y disgyblion hynny sydd ar lefel Gweithredu yn y Blynyddoedd Cynnar/ Gweithredu gan yr Ysgol neu Gweithredu yn y Blynyddoedd Cynnar a Mwy/Gweithredu gan yr Ysgol a Mwy a phlant â datganiadau o AAA yn unol â'r Cod Ymarfer AAA (LICC, 2004). Dylid adolygu'r cynlluniau hyn o leiaf deirgwaith y flwyddyn ac yn ddelfrydol dylai fod yn broses barhaus sydd yn ystyried:
- barn y plentyn a'r rhieni/gofalwyr;
- effeithiolrwydd y cynllun chwarae unigol;
- materion sy'n effeithio ar gynnydd;
- yr wybodaeth a'r cyngor diweddaraf;
- camau gweithredu – nodi newidiadau i'r targedau a'r strategaethau (APADGOS, 2007ch).

Fel nodwyd eisoes mae cynnwys y plentyn ei hun yn y broses adolygu yn hanfodol gan gofnodi union eiriau'r plentyn neu ofyn iddo/i gyfleu gwybodaeth trwy ddarluniau.

Mae Cynllun Chwarae Unigol llwyddiannus yn:
- gryno ac yn seiliedig ar weithredoedd;
- defnyddio iaith syml a dealladwy;
- cofnodi pwy, beth, sut a phryd;
- nodi a dathlu cryfderau a lefel cyrhaeddiad presennol y plentyn;
- adnabod natur a maint anghenion dysgu'r plentyn;
- cynnwys targedau penodol a pherthnasol;
- nodi sut y gall oedolion eraill gan gynnwys

- rhieni a gofalwyr gynorthwyo'r plentyn;
- nodi unrhyw adnoddau ychwanegol sydd eu hangen gan gynnwys anghenion meddygol;
- gosod dyddiadau clir ar gyfer diweddaru ac adolygu'r cynllun.

Gwybodaeth bellach:
APADGOS (2007ch: 16-22)
Glazzard et al., (2010: 22-23)
LICC (2004)

Cynllun Datblygu Unigol (CDU)

Bwriad Llywodraeth Cymru (2012) yw safoni fformat Cynllun Datblygu Unigol fel fframwaith asesu a chynllunio integredig ar gyfer y disgyblion hynny y nodir bod ganddynt Anghenion Ychwanegol. Bydd hwn yn disodli'r Cynllun Addysg Unigol, Cynllun Chwarae Unigol a'r Cynllun Ymddygiad presennol a chaiff ei ddefnyddio ar gyfer plant a phobl ifanc rhwng genedigaeth a phump ar hugain oed. Rhai o'r amcanion arfaethedig yw y bydd y CDU yn:
- cael ei ddefnyddio gan asiantaethau addysg, iechyd a gwasanaethau cymdeithasol;
- hawdd i'w ddefnyddio a'i weinyddu;
- annog cyfranogiad plant, pobl ifanc a'u rhieni/ gofalwyr;
- cael ei adolygu a'i ddiweddaru'n rheolaidd er mwyn bwydo cynllunio pellach;
- canolbwyntio ar yr unigolyn a'r person cyfan;
- adnodd ar wefan er mwyn rhannu gwybodaeth yn fwy hwylus;

- gwella'r ddarpariaeth cynllunio trwy ddarparu un cynllun cynhwysfawr (LlC, 2012).

Gwybodaeth bellach:
LlC (2012)

Cynllun Ymddygiad Unigol

Yn yr un modd ag y defnyddir Cynllun Addysg/Chwarae Unigol cyflwynir Cynllun Ymddygiad Unigol i gofnodi, monitro a chynllunio gogyfer ag ymddygiad plentyn ag ADY. Caiff hwn ei adnabod hefyd fel Cynllun Cefnogi Ymddygiad neu Adroddiad Targedau Ymddygiad.

Gwybodaeth bellach:
APADGOS (2007ch: 43-49)
LlCC (2004)

Cynorthwyydd Cymorth Dysgu

Ers integreiddio disgyblion ag ADY i ysgolion prif ffrwd gwelwyd cynnydd yn y nifer o oedolion ychwanegol a gyflogir mewn ysgolion i gefnogi'r dysgu ac addysgu. Cydnabyddir bod rôl y cynorthwywyr hyn yn hanfodol ar gyfer cynnwys plant ym mhob agwedd ar fywyd yr ysgol (Rose & Howley, 2007). Er hynny dylai athrawon fod yn ofalus rhag dibynnu'n ormodol ar y cynorthwyydd i addysgu'r plant ac ar yr un pryd sicrhau nad ydynt yn dibynnu'n ormodol ar y cynorthwyydd rhag iddynt gael eu heithrio o fewn y dosbarth (Glazzard et al. 2010).

Caiff y cynorthwyydd cynnal dysgu ei h/adnabod wrth nifer o deitlau eraill ac mae hyn weithiau yn dibynnu ar gymwysterau a thelerau'r gyflogaeth. Rhai teitlau cyffredin yw:

- cynorthwyydd addysgu;
- cynorthwyydd addysgu lefel uwch (CALU);
- cynorthwyydd dosbarth;
- cynorthwyydd Cyfnod Sylfaen;
- cynorthwyydd cefnogi ymddygiad (SEBSA);
- gweinyddes feithrin (NNEB).

Mae'r amrywiaeth o deitlau yn adlewyrchu'r dyletswyddau amrywiol sydd ganddynt a byddant yn amrywio yn ôl disgrifiadau swydd unigolion. Er hynny awgryma Garner a Davies (dyfynnir yn Rose & Howley, 2007) y prif ddyletswyddau canlynol:

- cynorthwyo athrawon gyda chynllunio;
- paratoi a gwahaniaethu deunyddiau'r cwricwlwm;
- trefnu er mwyn galluogi gwahaniaethu;
- gweithio gydag unigolion, grwpiau o ddisgyblion neu'r dosbarth cyfan;
- cefnogi'r Cynllun Addysg/Chwarae/Ymddygiad Unigol;
- darparu eglurhad ychwanegol i'r disgybl/ion;
- cadw disgyblion ar dasg;
- rheoli ymddygiad;
- adolygu cynnydd disgybl/ion gydag athrawon;
- cymryd rhan mewn cyrsiau datblygiad staff a datblygiad proffesiynol;
- cydgysylltu gyda rhieni a gofalwyr.

Gall rheoli cynorthwywyr cynnal dysgu fod yn her i athrawon ifanc, felly mae'n bwysig sefydlu perthynas waith dda, sicrhau bod cyfathrebu clir ar lafar ac yn ysgrifenedig er mwyn sefydlu partneriaeth lwyddiannus o gydweithio. Mae cefnogaeth effeithiol y cynorthwyydd cynnal dysgu yn fuddiol i bob disgybl, nid yn unig y rhai ag ADY.

Nid oes rhaid cael unrhyw gymwysterau penodol ar gyfer y swydd hon ar wahân i gymwysterau TGAU/lefel 0 yn enwedig os oes profiad blaenorol o weithio gyda phlant. Er hynny o fewn y swydd disgwylir i'r cynorthwyydd hyfforddi tuag at lefel 2, 3 neu uwch o ran cymwysterau cenedlaethol galwedigaethol (National Vocational Qualification) ynghŷd â dilyn unrhyw gyrsiau perthnasol eraill a gynigir megis rhai cefnogi llythrennedd a rhifedd.

Gwybodaeth bellach:
Glazzard et al. (2010: 6-8)
Rose & Howley (2007: 68-74)

Datganiad o Anghenion Addysg Arbennig

Os bydd yr Awdurdod Lleol (ALI) yn ystyried nad yw'r ddarpariaeth bresennol ar lefel Gweithredu yn yr Ysgol/y Blynyddoedd Cynnar neu Gweithredu yn yr Ysgol a mwy/y Blynyddoedd Cynnar a mwy yn diwallu anghenion y plentyn yn ddigonol byddant yn llunio dogfen a elwir yn ddatganiad o AAA. Bydd hyn yn dilyn asesiad statudol o AAA y plentyn ar gais rhieni/gofalwyr, yr ysgol neu asiantaethau eraill megis y gwasanaeth iechyd neu'r gwasanaethau cymdeithasol.

Mae datganiad o AAA yn nodi:

- diffiniad ac eglurhad o anghenion addysgol arbennig y plentyn;
- y ddarpariaeth arfaethedig;
- lle caiff y plentyn ei addysgu;
- anghenion ychwanegol heblaw rhai addysgol;
- darpariaeth ychwanegol heblaw'r ddarpariaeth addysgol.

Ceir terfyniadau amser clir ar gyfer gwneud asesiadau a datganiadau sy'n cymryd cyfanswm o 26 wythnos wedi ei rannu fel a ganlyn:

- 6 wythnos o'r dyddiad mae'r ALI yn derbyn cais i ddod i benderfyniad a gaiff y plentyn ei asesu ai peidio;
- 10 wythnos i'r ALI geisio cael tystiolaeth a chyngor gan rieni/gofalwyr, yr ysgol, asiantaethau eraill sydd ynghlwm â'r plentyn (gwasanaeth iechyd, gwasanaethau cymdeithasol) er mwyn dod i benderfyniad a oes angen gwneud datganiad ai peidio;
- pythefnos i lunio'r datganiad arfaethedig ac i hysbysu'r rhieni/gofalwyr o hyn neu i lunio nodyn iddynt yn egluro nas ysgrifennir datganiad os mai dyna'r penderfyniad;
- 8 wythnos i lunio'r datganiad terfynol (LICC, 2004: 119).

Os nad yw'r rhieni yn cytuno gydag unrhyw fater a nodir yn y datganiad, e.e. y diffiniad o AAA neu'r ysgol a awgrymir, mae hawl ganddynt i apelio yn erbyn hyn drwy'r Tribiwnlys AAA. Rhaid i'r ALI adolygu'r datganiad o leiaf unwaith y flwyddyn neu'n amlach os oes angen a gwahoddir rhieni/gofalwyr, y plentyn ei hun, athro/athrawes ddosbarth, y cydlynydd AAA, cynorthwyydd cymorth dysgu (os yw'n berthnasol), ac asiantaethau allanol eraill sydd yn gweithio gyda'r plentyn i fod yn bresennol i fynegi barn. Bydd yr adolygiad blynyddol, a gynhelir fel arfer yn yr ysgol, yn ystyried y cynnydd a wnaed gan y plentyn yn erbyn y targedau a osodwyd gan yr ysgol yn y Cynllun Addysg/Chwarae/Ymddygiad Unigol yn dilyn y datganiad. Yn ogystal trafodir y targedau am y flwyddyn ddilynol. Ceir meini prawf clir ar gyfer penderfynu a oes angen datganiad ai peidio â'r broses i'w dilyn yng Nghod Ymarfer AAA Cymru (2004).

Bu Llywodraeth Cymru yn adolygu'r ddarpariaeth ADY mewn ymgynghoriad â'r Awdurdodau Addysg Lleol, mudiadau gwirfoddol a rhieni/gofalwyr fel amlinellir yn y ddogfen ymgynghorol 'Datganiadau neu Rywbeth Gwell' (2007). Yn nogfen ymgynghorol Llywodraeth Cymru (2012), nodir y bwriad i ddileu'r system ddatganiadau gyfredol am ei bod yn system 'aneffeithlon', 'biwrocrataidd', 'cymhleth' a 'drud' ac un nad sy'n canolbwyntio'n ddigonol ar y plentyn. Bwriedir felly cyflwyno fframwaith mwy cynhwysol a hyblyg ar gyfer yr unigolyn, y rhieni, yr athrawon a'r asiantaethau allanol ar ffurf Cynllun Datblygu Unigol (CDU) integredig ar gyfer plant a phobl ifanc o enedigaeth hyd at bump ar hugain oed.

Gwybodaeth bellach:
Farrell (2009: 278)
LIC (2012)
LICC (2004: 94–119)
LICC (2008b)

Diabetes (Clefyd y Siwgr)

Dengys ystadegau Diabetes Cymru (2011) fod 153, 000 o bobl Cymru yn ymwybodol bod ganddyn nhw ddiabetes neu glefyd y siwgr a bod 66,000 arall yn byw gyda'r cyflwr heb wybod hynny. Anhwylder metabolaidd yw diabetes lle mae'r corff yn methu rheoli lefel y siwgr yn y gwaed yn effeithiol. Mae dau fath o ddiabetes sef:

Math 1 – Mae'r corff yn methu rheoli'r modd mae'r arennau yn amsugno dŵr. Hwn yw'r un mwyaf cyffredin ymhlith plant ac mae'n fwy difrifol na'r math sy'n datblygu mewn corff hŷn.

Math 2 – Nid yw'r corff yn llwyddo i droi'r siwgr yn egni ac o ganlyniad yn achosi lefelau siwgr uchel yn y gwaed a'r wrin. Mae'r math hwn ar gynnydd ymhlith plant sy'n rhy drwm.

Prif nodweddion diabetes mewn plentyn yw:
- diffyg egni;
- colli pwysau;
- anhwylderau croen;
- syched difrifol;
- dolur tafod;
- dioddef o binnau bach yn aml;
- methu gweld yn eglur;
- angen mynd i'r tŷ bach yn aml.

Mae rhai plant sydd â diabetes Math 1 angen dau bigiad o inswlin yn ddyddiol tra bod eraill yn cymryd meddyginiaeth. Rhaid rheoli'r deiet yn ofalus hefyd. Os bydd plentyn â diabetes yn colli pryd o fwyd, yn gwneud gormod o ymarfer corff egnïol, neu'n cymryd y dos anghywir o inswlin neu feddyginiaeth, gall arwain at 'hypo' (hypoglycaemic episode) neu goma diabetig.

I gefnogi plentyn â diabetes:

- gadewch iddo/i fwyta'n rheolaidd yn ystod y dydd, yn enwedig cyn ymarfer corff;
- dylid galw'r meddyg neu ambiwlans yn syth os yw'n cael 'hypo' neu os yw mewn coma;
- rhowch rywbeth melys ac uchel mewn siwgr iddo/i i'w fwyta, e.e. tabledi glwcos, diod â siwgr, bar bach o siocled, yn ystod 'hypo';
- rhowch fwydydd startsh (e.e. brechdan, bisged, llaeth) rhyw chwarter awr ar ôl iddo/i wella o'r 'hypo'.

Gwybodaeth bellach:
Buttriss & Callander (2008: 50-51)
Diabetes UK Cymru – www.diabetes.org.uk/cymru

Diogelu Plant

Mae diogelu plant yn gyfrifoldeb i bawb sydd yn gweithio gyda phlant ac mae'n un o'r cyfrifoldebau trymaf ar unrhyw athro/athrawes dosbarth (Blake dyfynnir yn Grigg, 2010). Os bydd plentyn yn dangos tystiolaeth o esgeulustod neu gamdriniaeth, rhaid dilyn y camau priodol fel y nodir ym mholisi amddiffyn plant yr ysgol. Mae dyletswydd hefyd i gofnodi unrhyw wybodaeth berthnasol yn fanwl a rhannu pryderon gyda'r rhwydwaith amddiffyn plant lleol.

Dyma ddiffiniadau bras o gamdriniaeth:

- esgeulustod – esgeulustod difrifol neu barhaus, methiant i warchod plentyn rhag unrhyw fath o berygl gan gynnwys oerfel a newyn, neu fethiant eithafol i warchod y plentyn gan achosi niwed i'w h/iechyd a'i d/datblygiad;

- cam-drin corfforol – niwed gwirioneddol neu debygol i blentyn neu fethiant i atal niwed corfforol neu ddioddefaint;
- cam-drin rhywiol – manteisio gwirioneddol neu debygol ar blentyn yn rhywiol;
- cam-drin emosiynol – effeithiau anffafriol gwirioneddol neu debygol ar ddatblygiad emosiynol ac ymddygiadol plentyn o ganlyniad i gamdriniaeth neu wrthodiad emosiynol parhaus neu ddifrifol (Mittler, 2006).

Pan fydd plentyn yn ymddiried mewn athro/athrawes ac yn rhannu pryderon dylid cysuro'r plentyn a chymryd yr wybodaeth o ddifrif ond heb addo cyfrinachedd llwyr. Yna dylid dilyn y canllawiau a'r gweithdrefnau priodol a nodir ym mholisi amddiffyn plant yr ysgol. Mae dyletswydd ar athrawon i sicrhau bod plant yn ddiogel tu mewn a thu allan y dosbarth, gan fod yn gwbl glir am weithdrefnau mewnol yr ysgol wrth ymdrin ag achosion o amddiffyn plant (Grigg, 2010).

Gwybodaeth bellach:
Grŵp Adolygu Gweithdrefnau Amddiffyn Plant Cymru Gyfan (2008)
LICC (2006a)
Mittler (2006: 56-57)
Grigg (2010: 63-65)
Grŵp Adolygu Gweithdrefnau Amddiffyn Plant Cymru Gyfan – www.awcpp.org.uk
Plant yng Nghymru www.plantyngnghymru.org.uk/areasofwork/safeguardingchildren.html

Disgyblion Mwy Galluog a Thalentog

Ceir tueddiad i gyfuno'r ddau ymadrodd 'galluog' a 'thalentog' wrth gyfeirio at ddisgyblion sydd yn rhagori mewn meysydd penodol ac mae'n cwmpasu tua 20% o boblogaeth ysgolion yng Nghymru (LlCC, 2008). Defnyddir y term 'galluog' i ddisgrifio'r dysgwyr hynny sydd yn rhagori yn academaidd ar lefel tipyn uwch na'u cyfoedion mewn un neu fwy o bynciau'r cwricwlwm, e.e. Cymraeg, Mathemateg. Mae 'talentog' yn cyfeirio at y disgyblion hynny sydd yn arddangos talent i ragori mewn meysydd ymarferol megis cerddoriaeth, chwaraeon, celf neu sgiliau cymdeithasol (Westwood, 2011). O bryd i'w gilydd defnyddir yr ymadroddion 'abl a thalentog' a/neu 'disglair a dawnus' i ddisgrifio'r grŵp hyn o ddisgyblion hefyd.

Mae angen cyfleoedd ar y disgyblion hyn i ddatblygu eu talent a'u gallu trwy brofiadau mwy cyfoethog ac estynedig ar draws y cwricwlwm tu mewn a thu allan i'r dosbarth er mwyn iddynt fedru cyflawni eu llawn botensial. Gellir gwneud hyn drwy:

- gynllunio ar gyfer yr unigolyn, e.e. trwy Gynllun Addysg/Chwarae Unigol;
- darparu mynediad i adnoddau ar lefel uwch;
- defnyddio dulliau addysgu cyflymach;
- darparu cyfleoedd i resymu a meddwl yn feirniadol;
- annog rhyddid i fynegi barn a syniadau;
- addysgu sgiliau astudio a strategaethau ymchwil uniongyrchol;
- darparu cyfleoedd ychwanegol trwy gysylltiadau â mudiadau ac asiantaethau allanol (Gilman dyfynnir yn Westwood, 2011).

Bydd cyfleoedd o'r fath nid yn unig yn fuddiol i'r disgyblion mwy galluog a thalentog, ond i'r dosbarth a'r ysgol gyfan. Mae'n her i athrawon gyflwyno darpariaeth i ysgogi a meithrin talent a gallu ac weithiau bydd angen cyngor a hyfforddiant pellach. Er hynny, ceir canllawiau clir yn nogfennaeth ACCAC (2003) a LICC (2008, 2010) sy'n cynnwys y canllawiau canlynol ar gyfer cyfrannu tuag at wella cyrhaeddiad pob dysgwr:

- darparu amgylchedd dysgu a fydd yn galluogi dysgwyr i ddatblygu eu potensial ac yn eu hannog i wneud hynny;
- hinsawdd sy'n gwerthfawrogi ac yn gwella gallu deallusol, talent, creadigrwydd a phrosesau gwneud penderfyniadau;
- darparu cyfleoedd i ddatblygu meddwl, gan gynnwys dadansoddi, cyfosod a gwerthuso (LICC, 2010).

Mae hyn hefyd yn datblygu sgiliau meddwl lefel uwch ac yn cyd-fynd gyda pholisïau a gweithdrefnau Datblygu Meddwl ac Asesu ar gyfer Dysgu Llywodraeth Cymru.

Gwybodaeth bellach:
ACCAC (2003)
Cymdeithas Genedlaethol ar gyfer Plant Galluog mewn Addysg Cymru (NACE) – www.nace.co.uk
LICC (2008a)
LICC (2010)
Westwood (2011: 53-66)

Dyscalculia

Ceir anghytundeb ymhlith ymchwilwyr i ba raddau mae dyscalculia yn gwahaniaethu oddi wrth y rhwystrau hynny tuag at ddysgu a gaiff dysgwyr sydd â dyslecsia neu ddyspracsia ond gwelwyd cynnydd diweddar mewn cydnabyddiaeth o'r anhawster hwn (Bird, 2007). Mae dyscalculia yn effeithio ar allu'r dysgwyr i ddatblygu sgiliau rhifyddeg, a byddant yn cael anhawster gyda:

- cysyniadau rhif syml;
- cyfrif yn y pen;
- dilyniant ac adnabod patrymau;
- amcangyfrif a yw ateb i gwestiwn rhifyddeg yn rhesymol ai peidio;
- rhifo a chyfrif, yn enwedig cyfrif yn ôl;
- ffeithiau a gweithdrefnau rhif;
- symbolau mathemategol;
- rheolau mathemategol;
- gosod pethau mewn trefn;
- amser – darllen y cloc a threfnu amser yn eu bywydau bob dydd;
- delio gydag arian;
- sgiliau cof tymor byr a thymor hir, e.e. trafferth cofio tablau – byddant yn medru galw i gof rhai rheolau neu ffeithiau yn ymwneud â rhif un diwrnod ond yn methu gwneud hynny ar ddiwrnodau eraill;
- cyfeiriadedd gweledol a gofodol a chyfeiriadau megis chwith/de, e.e. mewn gweithgareddau ymarfer corff neu ddawns.

Gellir cefnogi dysgwyr â dyscalculia trwy:

- adael amser ychwanegol ar gyfer cwblhau tasg;
- defnyddio adnoddau i'w cynorthwyo, e.e. Numicon, blociau Dienes;
- defnyddio TGCh i gefnogi'r dysgu;
- eu hannog i ddefnyddio cyfrifiannell;
- gwaith pâr i egluro dulliau a strategaethau;
- defnyddio dulliau addysgu amlsynhwyraidd i gefnogi'r dysgu;
- gweithgareddau ymarferol;
- atgyfnerthu cysyniadau rhif.

Gwybodaeth bellach:

Bird (2007)
Buttriss & Callander (2008: 54)
Chinn (2007)
MacConville (2010: 137-152)
Dyslecsia Cymru – www.welshdyslexia.info/cymraeg
Dyslexia Action Cymru – www.dyslexiaaction.org.uk
Y Gymdeithas Ddyslecsia Prydeinig – www.bdadyslexia.org.uk

Dysgraphia

Mae dysgraphia yn anhawster sy'n ymwneud â phrosesu lle bydd y plentyn yn ei chael hi'n anodd cofio a defnyddio'r drefn gywir i symud y cyhyrau er mwyn ysgrifennu. Anhawster niwrolegol sydd weithiau ond nid bob amser yn gysylltiedig ag anawsterau dysgu penodol eraill megis dyslecsia yw hwn.

Bydd plant â dysgraphia yn:

- ysgrifennu'n araf a llafurus a bydd eu gwaith wedi ei gyflwyno'n flêr;

- ffurfio llythrennau mewn modd anghyson gan ddefnyddio cymysgedd o brif lythrennau a llythrennau bach;
- cael anhawster cydio mewn pensil;
- cael anhawster copïo nodiadau;
- defnyddio rwber yn ormodol;
- cael anhawster gyda chyfeiriadau, e.e. gwaith mapio, diagramau;
- cael anhawster gyda chydbwysedd a chydsymud, e.e. rhedeg, sgipio, gwneud jig-so.

Mae plant â sgiliau llafar da yn medru teimlo'n rhwystredig wrth gael anhawster i gofnodi eu syniadau yn ysgrifenedig. Gellir eu cefnogi trwy:
- addysgu sgiliau bysellfwrdd iddynt a'u hannog i ddefnyddio prosesydd geiriau ac offer TGCh;
- ymarfer ffurfio llythrennau;
- rhoi mwy o amser iddynt i ysgrifennu;
- lleihau'r teimlad o bryder trwy adael iddynt ysgrifennu yn y dull sydd fwyaf addas iddynt;
- defnyddio strategaethau gweledol i drefnu gwybodaeth, e.e. mapiau meddwl;
- eu hannog i rannu eu syniadau ar lafar neu ar dâp yn hytrach na'u cofnodi'n ysgrifenedig.

Gwelir gwelliant o ran cyflwyniad ysgrifenedig gydag ymarfer a chefnogaeth bwrpasol, yn enwedig gyda phlant ifanc.

Gwybodaeth bellach:
APADGOS (2007ch)
Buttriss & Callander (2008: 55)

Dyslecsia

Mae'r ymadrodd dyslecsia yn tarddu o'r iaith Roegaidd – ystyr 'dys' yw anhawster ac ystyr 'lexia' yw iaith. Er hynny ceir tipyn o drafod ynglŷn ag union ddiffiniad dyslecsia. Bydd plant â dyslecsia yn fynych yn greadigol iawn ac yn alluog mewn ambell agwedd o'r cwricwlwm megis celf neu ddrama, ond yn cael anhawster amlwg i ddysgu darllen, ysgrifennu a sillafu yn gywir. Bydd ganddynt ystod o anawsterau ond nid o reidrwydd pob un o'r canlynol:

- sillafu geiriau'n rhyfedd ac ymwybyddiaeth wael o ffonoleg;
- colli lle ar dudalen wrth ddarllen;
- cymysgu rhai geiriau cyffredin, e.e. oedd/ddoe, ac ysgrifennu geiriau gyda'r llythrennau cywir yn y drefn anghywir;
- ysgrifennu dilyniant o eiriau neu rifau go chwith;
- diffyg canolbwyntio am amser penodol;
- sgiliau trefnu gwan, e.e. trefn digwyddiadau, strwythuro darn o waith, trefnu eiddo;
- methu cofio dilyniannau syml, e.e. misoedd y flwyddyn;
- dilyn cyfarwyddiadau llafar yn gywir;
- synnwyr gwan o amser a chyfeiriad;
- lefelau gwan o gymhelliant a hunan-barch;
- rhai anawsterau o ran sgiliau cydsymud.

Noda'r Gymdeithas Ddyslecsia Prydeinig (2011) bod tua 10% o'r boblogaeth ag ystod eang o lefelau gallu deallusol yn wynebu rhyw fath o anhawster dyslecsia. Diffyg niwrolegol yw dyslecsia â thueddiad i effeithio ar fechgyn yn fwy na merched a gall hefyd gael ei drosglwyddo o fewn y teulu. Rhai enwogion ag anawsterau dyslecsia yw Walt Disney, Albert Einstein, Agatha Christie, Jamie Oliver, Jerry Hall a'r Tywysog Harry (Y Gymdeithas Ddyslecsia Prydeinig, 2011).

Felly mae'n debygol iawn y byddwch yn dysgu plentyn â dyslecsia yn ystod eich gyrfa fel athro/athrawes.

Fel gyda'r mwyafrif o ADY bydd anghenion pob plentyn â dyslecsia yn amrywio a gellir addasu strategaethau dysgu i gwrdd ag anghenion yr unigolyn. Dyma rai awgrymiadau :

- addysgu'r plentyn i gyfrif sillafau er mwyn clywed sawl sillaf sydd mewn gair;
- addysgu'r plentyn i gyfuno seiniau i greu geiriau;
- addysgu'r plentyn i wahaniaethu rhwng ffonemau a'u cyfuno er mwyn helpu gyda darllen a sillafu;
- defnyddio dulliau ac adnoddau amlsynhwyraidd i helpu'r dysgu;
- ailadrodd y dysgu gan ddefnyddio gemau geiriau ac iaith er mwyn cael hwyl, e.e. Trugs (Read Successfully 2011);
- defnyddio gorchuddion lliw sydd yn addas ar gyfer yr unigolion ac offer tracio lliw;
- creu amgylchedd darllen cadarnhaol a digon o gyfleodd i wrando ar storïau e.e. ar lafar neu ar gryno ddisg;
- addysgu sgiliau bysellfwrdd iddynt a'u hannog i ddefnyddio rhaglenni cyfrifiadurol i wirio iaith e.e. CySill;
- amrywio dulliau cofnodi gwybodaeth, e.e. fframiau ysgrifennu, diagramau, stribed cartŵn, mapiau meddwl;

- defnyddio offer TGCh e.e. EdGair (Dyslecsia Cymru), gemau cyfrifiadurol, camerâu digidol;
- rhoi cyfarwyddiadau llafar cryno a chlir;
- adolygu sgiliau blaenorol a addysgwyd yn rheolaidd;
- codi hunan-barch a hyder y plentyn trwy ddarparu llawer o ganmoliaeth ac anogaeth.

Mae'n bwysig canfod a oes anawsterau dyslecsia gan blentyn cyn gynted â phosib er mwyn cefnogi datblygiad iaith a llythrennedd o oed cynnar. Gwneir hyn trwy broses o sgrinio a bydd y Cydlynydd Anghenion Addysg Arbennig yn medru cynghori athrawon ynglŷn â'r broses. Gan ddibynnu ar y prawf, athrawon arbenigol neu seicolegydd addysg fydd yn gweithredu a dadansoddi'r rhain fel arfer. O ganlyniad i asesu parahol a sgrinio gellir adnabod cryfderau a gwendidau'r plentyn er mwyn gwella dealltwriaeth yr athro/athrawes o'i anghenion a sut y gellid darparu ar ei g/chyfer.

Gwybodaeth bellach:

Buttriss & Callander (2008: 56-57)
Hall (2009)
Grant (2010)
Read Successfully (2011)
Dyslecsia Cymru – www.welshdyslexia.info/cymraeg
Dyslexia Action Cymru – www.dyslexiaaction.org.uk
Y Gymdeithas Ddyslecsia Prydeinig – www.bdadyslexia.org.uk

Dyspracsia (Anhwylder Cydsymud Datblygiadol)

Ymadrodd arall a'i wreiddiau yn yr iaith Roegaidd yw hwn ac ystyr 'dys' yw anhawster a 'praxis' yw gwneud. Anhwylder Cydsymud Datblygiadol yw hwn, ac er nad yw'n gysylltiedig ag unrhyw broblemau niwrolegol, ceir cryn anhawster gyda symudiadau, iaith ac wrth ddatblygu syniadau. Does dim patrwm penodol i'r anhwylder fel y cyfryw ond bydd rhai o'r nodweddion canlynol yn amlwg:

- ymddangos yn drwsgl ac yn bwrw mewn i bobl a gwrthrychau eraill;
- cael anhawster mesur pellter, lleoliad ac amser ac felly yn cael cryn rwystrau wrth chwarae gemau pêl;
- anhawster ffurfio llythrennau a llawysgrifen anniben;
- profi anhawster wrth drefnu gwaith;
- cael anhawster cydymffurfio â strwythur a threfn yr ysgol;
- meddu ar syniadau da ond methu eu cofnodi ar bapur;
- cael anhawster gyda sgiliau echddygol manwl, e.e. cau botymau;
- iaith lafar aneglur ar brydiau (MacConville, 2012).

Rhai strategaethau ar gyfer lleihau rhwystrau rhag dysgu ar gyfer disgyblion â dyspracsia yw:

- rhoi cyfarwyddiadau clir a syml ac atgoffa'r plentyn yn rheolaidd ar lafar ac yn ysgrifenedig;
- darparu amgylchedd dysgu gweddol dawel;
- trefnu gweithgareddau i ddatblygu sgiliau; gwrando a chanolbwyntio

- annog dysgwyr i gyflwyno syniadau gan ddefnyddio TGCh;
- trefnu gemau a gweithgareddau lle mae angen cydweithio a chymryd tro;
- darparu fframweithiau ysgrifennu ar gyfer gwaith ysgrifenedig;
- canmol pob ymdrech a chyrhaeddiad (Buttriss & Callander, 2008).

Gwybodaeth bellach:
Buttriss & Callander (2008: 58-59)
Grant (2010)
MacConville, 2010: 180-196)
Spooner (2011 : 26)
Canolfan Dyscovery – www.dyscovery.co.uk
Sefydliad Dyspracsia – www.dyspraxiafoundation.org.uk

Dystroffi'r Cyhyrau

Anhwylder niwro-gyhyrol genetig yw dystroffi'r cyhyrau lle mae celloedd y cyhyrau yn dadfeilio ac yn diflannu'n raddol. Mae'r cyflwr yn amrywio o ddirywio hyd at anabledd difrifol sy'n effeithio ar ddisgwyliad oes i anabledd llai difrifol.

Y ffurf fwyaf cyffredin ymhlith plant yw dystroffi'r cyhyrau Duchenne sy'n effeithio ar fechgyn yn unig a dyma un o'r ffurfiau mwyaf difrifol. Bydd symptomau'r cyflwr hwn yn ymddangos cyn gynted ag y bydd y plentyn ifanc yn dechrau cerdded neu'n fuan iawn ar ôl hynny. Fel rheol bydd y plentyn yn methu cerdded o gwbl erbyn ei fod rhwng 8 ac 11 oed, a bydd ei fywyd mewn perygl erbyn tua diwedd yr arddegau neu'r ugeiniau cynnar (APADGOS, 2007ch).

Y prif nodweddion i'w hystyried gyda phlentyn â dystroffi'r cyhyrau Duchenne yw:

- cerdded yn lletchwith a gydag anhawster wrth ddechrau'r ysgol;
- syrthio yn annisgwyl;
- colli gafael a chwympo pethau;
- cael anhawster gyda sgiliau echddygol manwl a bras;
- methu rheoli tymheredd y corff;
- y bydd mewn cadair olwyn erbyn tua chanol Cyfnod Allweddol 2;
- angen cymorth wrth ddefnyddio'r toiled;
- angen treulio cyfnodau mewn ffrâm sefyll bob dydd yn y dosbarth;
- angen sesiynau ffisiotherapi cyson yn ystod amser ysgol;
- angen addasu'r adeilad, celfi ac offer (Buttriss & Callander, 2008).

Er mwyn cynnwys disgybl â dystroffi'r cyhyrau yn holl weithgareddau'r ysgol, rhaid sicrhau mynediad ffisegol i adeiladau ac ystafelloedd. Mae'n bwysig bod y cynorthwyydd cymorth dysgu wedi ei hyfforddi ar gyfer darparu'r gefnogaeth briodol i anghenion corfforol y plentyn a bod y disgyblion eraill yn deall pwysigrwydd cymryd gofal rhag bwrw i mewn i'r plentyn pan fydd yn cerdded neu mewn cadair olwyn.

Gwybodaeth bellach:
APADGOS (2007c), APADGOS (2007ch: 111)
Buttriss & Callander (2008: 81-82)
Canolfan ar gyfer Amgylcheddau Hygyrch – www.cae.org.uk
Cymdeithas Dystroffi'r Cyhyrau – www.muscular-dystrophy.org
Motability – www.motability.co.uk

Eiriolaeth

Datblygodd y cysyniad o eiriolaeth neu sicrhau llais y plentyn o Erthygl 12 Confensiwn y Cenhedloedd Unedig ar Hawliau'r Plentyn (dyfynnir yn APADGOS, 2007b: 2) sef bod 'gan y plentyn sy'n gallu ffurfio barn ei hun hawl i fynegi'n rhydd y farn honno am bob mater sy'n effeithio ar y plentyn'. Prif nod eiriolaeth yw sicrhau hawliau a chyfleusterau ar gyfer plant ag anableddau neu anawsterau sydd yn briodol i'r hyn a ystyriant hwy yw eu hanghenion. Gall plentyn enwebu person neu gymdeithas i'w gynrychioli ac yng Nghymru mae'r canlynol ymhlith rhai sy'n darparu gwasanaeth eiriolaeth plant:

- Snap Cymru;
- Barnardos;
- Tros Gynnal;
- 'Voices from Care';
- Y Gwasanaeth Eiriolaeth Ieuenctid Cenedlaethol (LICC, 2007: 26).

Awgryma'r Cod Ymarfer (2004) y dylai oedolion annog hunaneiriolaeth ymhlith plant ag ADY. Gall hyn gynnwys:

- cael cynrychiolydd/wyr ag ADY ar y Cyngor Ysgol i fynegi barn am eu hanghenion o fewn yr ysgol;
- annog hunanasesu a hunanymwybyddiaeth;
- darparu cyfleoedd i wneud dewisiadau;
- darparu cyfleoedd i adlewyrchu ar eu cyrhaeddiad hwy eu hunain a chyrhaeddiad eu cyfoedion (Farrell, 2009).

Gwybodaeth bellach:
APADGOS (2007b)
Farrell (2009: 9-10).

LICC (2004)
LICC (2007)
Plant yng Nghymru –
www.plantyngnghymru.org.uk/areasofwork/advocacy.html

Epilepsi

Tueddiad yn yr ymennydd i achosi pwl, trawiad neu ffit pan fod yna ddiffyg yn y modd mae'r niwronau yn gweithio am gyfnod yw epilepsi yn hytrach na salwch neu glefyd (Buttriss & Callander, 2008). Caiff rhai plant eu heffeithio'n fwy difrifol nag eraill a gall effeithio ar ddysgu fel a ganlyn:

- cyflymdra prosesu gwybodaeth;
- galw i gof, canolbwyntio a bod yn effro i'r hyn sy'n digwydd yn y dosbarth;
- llyfnder symudiadau echddygol a/neu iaith;
- bod yn hunanymwybodol a theimlo cywilydd ac embaras;
- pryderu cyn ac ar ôl ffit neu drawiad;
- angen cefnogaeth emosiynol i ymdopi gyda'r cyflwr.

Ceir dau fath o drawiad sef:

1. trawiad cyffredinol (grand mal) – bydd aelodau'r corff yn ysgwyd, arwyddion o anystwythder, a bydd y plentyn yn hyblyg ac o bosib yn anymwybodol. Gall yr anadlu fod yn swnllyd ac yn afreolaidd ac weithiau bydd y plentyn yn gwlychu ei hun yn anwirfoddol.
2. trawiad rhannol (petit mal) – mae'r rhain yn dibynnu ar ba ran o'r ymennydd gaiff ei effeithio. Gallant amrywio o drawiadau ysgafn sy'n rhoi'r argraff o freuddwydio ac o bosib y fraich neu'r goes yn plwcio, i ddryswch cyffredinol

lle mae'r plentyn yn hollol ar goll o'i amgylchedd. Anaml iawn mae plant sydd yn cael trawiadau rhannol yn anymwybodol ond efallai na fyddant yn ymwybodol bod y trawiad yn digwydd
(Buttriss & Callander, 2008).

Mewn achosion o'r fath dylid sicrhau bod y plentyn yn ddiogel bob amser, ac mewn achos trawiad cyffredinol nad yw'n bwrw ei hun wrth syrthio i'r llawr. Ni ddylid ceisio ei rwystro rhag symud na rhoi dim byd yn ei geg. Yn ystod trawiad dylai oedolyn:

- ymateb yn dawel;
- tawelu plant ac oedolion eraill a sicrhau nad ydynt yn tyrru o gwmpas;
- rhoi clustog neu rywbeth esmwyth dan ben y plentyn i gadw'r llwybr anadlu ar agor;
- galw ar y swyddog cymorth cyntaf os ydych yn ansicr sut mae delio gyda'r sefyllfa;
- galw am gyngor meddygol neu ambiwlans os yw'r trawiad yn hirach nag arfer neu os ydych yn pryderu;
- cadw'r plentyn yn dawel ar ôl i'r trawiad orffen.

Fel arfer caiff epilepsi ei reoli gan feddyginiaeth felly dylai'r rhieni hysbysu staff os oes unrhyw feddyginiaeth i'w roi yn yr ysgol a dylai'r athro/athrawes ddilyn polisi'r ysgol ynglŷn â rhoi meddyginiaeth i blentyn.

Gwybodaeth bellach:
Buttriss & Callander (2008: 62-63)
Spooner (2011: 28-29)
Epilepsi Action – www.epilepsy.org.uk
Epilepsi Cymru – www.epilepsy-wales.co.uk

Esgyrn Brau

Cyfeiria'r term esgyrn brau at ystod o anhwylderau lle gall esgyrn dorri'n rhwydd iawn. Mae'n bosib na fydd gan y plant hyn unrhyw anawsterau dysgu ond bydd eu cyflwr meddygol yn effeithio arnynt yn yr ysgol a bydd mynediad i rai agweddau o'r cwricwlwm cenedlaethol yn fwy anodd iddynt. Mae'r cyflwr yma yn amrywio o ran ei ddifrifoldeb a bydd angen i rai plant ddefnyddio ffon gerdded neu gadair olwyn arbennig. O ganlyniad bydd angen addasu adeiladau, celfi neu offer (APADGOS, 2007ch).

Y prif nodweddion i'w hystyried gyda phlentyn ag esgyrn brau yw:

- absenoldeb mynych o'r ysgol tra bod toriadau yn gwella;
- anawsterau gyda sgiliau echddygol manwl a bras;
- ychydig ar ei hôl hi gyda'r dysgu, er enghraifft cymryd yn hirach i ddysgu ysgrifennu o ganlyniad i broblemau corfforol;
- diffyg hunan-barch a hunanhyder;
- pryder ynglŷn â diogelwch personol o fewn amgylchedd yr ysgol.

Er mwyn cefnogi disgyblion ag esgyrn brau yn effeithiol bydd angen:

- cysylltu gyda'r ysbyty a gwasanaethau dysgu yn y cartref pan fo angen;
- gofyn am gyngor gan therapydd galwedigaethol i gefnogi datblygiad sgiliau echddygol;
- darparu bwrdd ysgrifennu ar ogwydd os oes

- angen;
- darparu offer dal pensil neu arbrofi gyda gwahanol fathau o offer ysgrifennu;
- darparu offer TGCh ar gyfer cofnodi gwaith;
- gweithredu system 'bydi' ar amseroedd penodol o'r dydd;
- sicrhau bod cefnogaeth oedolyn priodol a chymwysedig ar gael pan fo angen;
- sicrhau mynediad llawn i bob agwedd ar fywyd a gweithgareddau'r ysgol (Buttriss & Callander, 2008).

Gwybodaeth bellach:
APADGOS (2007ch : 104)
Buttriss & Callander (2008: 42-43)
Cymdeithas Esgyrn Brau – www.brittlebone.org

Ffibrosis Systig

Clefyd genetig yw ffibrosis systig sydd yn effeithio ar nifer o organau'r corff (yn enwedig yr ysgyfaint a'r pancreas) gan achosi iddynt lenwi â mwcws trwchus a gludiog. Gall hefyd effeithio ar system dreulio'r plentyn. O ran gallu a chyrhaeddiad academaidd mae plant â ffibrosis systig lawn mor abl â'u cyfoedion ond yn absennol o'r ysgol yn fynych neu am gyfnodau hir oherwydd eu bod yn glaf yn yr ysbyty neu'n dioddef o heintiau ar y frest (APADGOS, 2007ch). Mae ffisiotherapi dyddiol ac ymarfer corff yn hanfodol ar gyfer y plant hyn i osgoi niwed parhaol i'r ysgyfaint, a gall hyn fod yn brofiad annifyr a rhwystredig iddynt. Weithiau gall y plentyn ddioddef o ddiabetes yn ogystal, a bydd angen iddynt gymryd inswlin, addasu'r fwydlen a mynd i'r toiled yn amlach.

Er mwyn cefnogi disgyblion â ffibrosis systig bydd angen:

- sicrhau bod ystafell dawel ar gael ar gyfer y sesiynau ffisiotherapi dyddiol;
- bod cynorthwyydd cynnal dysgu wedi derbyn hyfforddiant priodol i weithredu'r sesiynau ffisiotherapi;
- sicrhau bod y plentyn yn cymryd y feddyginiaeth briodol gyda phrydau bwyd;
- darparu gwaith ar gyfer y plentyn os yw adref neu yn yr ysbyty am gyfnodau hir a chysylltu gyda'r gwasanaeth dysgu yn y cartref;
- annog annibyniaeth trwy gymryd cyfrifoldeb dros eu meddyginiaeth eu hunain (gan ddibynnu ar oed y plentyn a chaniatâd rhieni gofalwyr);
- annog ymarfer corff gan ystyried y gall yr afiechyd achosi colli nerth (Buttriss & Callander, 2008).

Gwybodaeth bellach:
Buttriss & Callander (2008: 48-49)
APADGOS (2007ch: 106)
Ymddiriedolaeth Ffibrosis Systig – www.cftrust.org.uk

Ffisiotherapydd

Caiff ffisiotherapyddion plant eu cyflogi gan y Gwasanaeth Iechyd a byddant yn gweithio mewn amrywiaeth o leoliadau gan gynnwys ysbytai, canolfannau iechyd, canolfannau teulu, ysgolion a chartrefi'r plant eu hunain.

Mae ystod o gyflyrau yn galw am wasanaeth a chyngor y

ffisiotherapydd gan gynnwys:

- cyflyrau sydd yn effeithio ar yr anadlu, e.e. ffibrosis systig;
- cyflyrau niwrolegol, e.e. palsi'r ymennydd, hydrocephalus, a niwed i'r ymennydd;
- syndromau sydd yn effeithio ar ddatblygiad, e.e. Syndrom Turner;
- nam ar y clyw neu nam ar y golwg;
- anableddau dysgu;
- problemau gyda chydgysylltu, e.e. dyspracsia;
- cyflyrau difrifol sydd yn effeithio ar y cymalau, e.e. rheumatoid arthritis;
- afiechydon lle mae dirywiad cynyddol, e.e. dystroffi'r cyhyrau;
- afiechydon megis canser;
- niwed megis llosgiadau;
- rhai sy'n defnyddio cymalau prosthetig.

Bydd y ffisiotherapydd yn paratoi rhaglen a fydd yn diwallu anghenion yr unigolyn ac yn trefnu'r defnydd o gymorthyddion priodol os oes angen. Byddant hefyd yn cynghori a hyfforddi rhieni/gofalwyr a staff mewn ysgolion ynglŷn ag unrhyw raglenni bydd angen iddynt hwy eu dilyn yn ogystal â chanllawiau ar sut i annog y plentyn i fod mor annibynnol â phosib. Pan fydd adolygiadau blynyddol neu asesiad statudol o anghenion plant, bydd y ffisiotherapydd yn darparu adroddiadau ysgrifenedig (Buttriss & Callander, 2008).

Gwybodaeth bellach:
Buttriss & Callander (2008: 151-152)

Ffobia Ysgol

Mae ffobia ysgol yn dipyn mwy difrifol nag ambell i ddiwrnod pan mae'r plentyn yn gwrthod mynd i'r ysgol. Caiff ei gysylltu gyda phroblemau emosiynol a chymdeithasol lle mae ofn ar y plentyn i fynychu'r ysgol yn gyson ac yn barhaol. Nid yw'r plant hyn o reidrwydd yn dod o gartrefi lle mae amgylchiadau anodd ac nid oes ganddynt chwaith allu is na gweddill eu cyfoedion. Gall pryder mynychu'r ysgol ddeillio o salwch parhaol, neu o fod yn unig blentyn neu'r plentyn ifancaf mewn teulu, a daw i'r amlwg trwy:

- ofn bod i ffwrdd o gartref;
- teimlo'n anhapus mewn grwpiau cymdeithasol o 5 neu fwy;
- ofn ymateb disgyblion eraill pan fyddant yn dychwelyd i'r ysgol;
- diffyg hyder a hunan-barch;
- achwyn ystod o salwch, e.e. pen tost, blinder;
- ofn bydd rhywbeth difrifol yn digwydd i aelod o'r teulu tra byddant yn yr ysgol;
- bod yn swil ac yn anaeddfed yn emosiynol.

Cyflwr anodd i'w adnabod yw ffobia ysgol ond mae'n hanfodol ei gydnabod cyn gynted â phosib. Y seicolegydd addysg fydd yn gwneud y diagnosis hwn a bydd yn cynorthwyo'r disgybl, y rhieni/gofalwyr a'r athrawon i lunio rhaglen er mwyn iddynt fedru dychwelyd i'r ysgol.

Rhai strategaethau i gefnogi plant sydd â ffobia ysgol yw:

- trafod yr amgylchiadau gyda'r seicolegydd addysg, swyddog lles addysg ac asiantaethau allanol eraill;
- trafod rhesymau posib dros bryder y disgybl

gyda'r rhieni/gofalwyr;
- rhoi cefnogaeth ac anogaeth i'r plentyn pan fydd yn mynychu'r ysgol;
- osgoi sefyllfaoedd sydd yn peri pryder;
- annog y disgybl i ddelio gydag unrhyw bryderon pan fydd yn barod i wneud hynny;
- darparu lle tawel a chyfarwydd i'r disgybl fynd iddo pan fydd yn teimlo'n bryderus;
- creu trefn gyfarwydd ac annog y disgybl i gymryd rhan mewn rhai gweithgareddau;
- rhoi digon o ganmoliaeth ac anogaeth ar bob cyfle posib (Buttriss & Callander, 2008).

> **Gwybodaeth bellach:**
> Buttriss & Callander (2008: 151-152)

Gwahaniaethu

Gall gwahaniaethu gwaith i ddisgyblion ag ADY fod yn faen tramgwydd i athrawon. Weithiau bydd ymateb disgyblion yn heriol oherwydd eu bod yn llwyr ymwybodol o'r rhwystrau sydd ganddynt tuag at ddysgu a byddant yn cymharu eu perfformiad a'u cyrhaeddiad gyda gweddill eu cyfoedion (Grigg, 2010). Er mwyn gwahaniaethu'n effeithiol o fewn y dosbarth rhaid ystyried anghenion unigolion, eu dulliau dysgu dewisol a'u lefel dysgu presennol er mwyn cynllunio gwersi a gweithgareddau heriol a fydd yn galluogi pob plentyn i wneud cynnydd (Rose & Howley, 2007).

Dylid personoli'r dysgu gan ganolbwyntio ar gryfderau a nodweddion dysgu'r unigolyn ond dyma rai strategaethau y gellid eu defnyddio wrth wahaniaethu:
- gosod deilliannau dysgu ar gyfer yr unigolyn;

- addasu cynnwys y cwricwlwm i gyfateb yn agosach i lefel datblygiad y plentyn;
- darparu gwahanol lwybrau tuag at ddysgu i gwrdd â gwahanol ddulliau dysgu;
- amrywio amseru tasgau dosbarth er mwyn ystyried gwahanol gyfradd dysgu unigolion;
- addasu adnoddau dysgu;
- defnyddio adnoddau TGCh i gynorthwyo'r dysgu;
- annog disgyblion i gyflwyno gwaith mewn ffurfiau gwahanol;
- trefnu grwpiau hyblyg o ddisgyblion, e.e. gallu cymysg;
- gosod fframwaith ar gyfer cwblhau tasg, e.e. fframwaith ysgrifennu;
- amrywio'r cymorth a roddir i unigolion (Westwood, 2011).

Gwybodaeth bellach:
Grigg (2010: 280-283)
Rose & Howley (2007: 19-21)
Westwood (2011 : 178-179)

Gwefus/Taflod Hollt

Cyfeiria hollt at fwlch neu raniad. Caiff baban ei eni â hollt rhwng y trwyn a'r geg o ganlyniad i ddiffyg datblygiad o'r wyneb yn ystod beichiogrwydd. Gall hyn amrywio o hollt fechan iawn ar y wefus uchaf nad oes hyd yn oed modd ei gweld hyd at hollt gyflawn sy'n rhedeg bob cam o'r wefus uchaf i'r trwyn. Er y gellir gwella'r cyflwr trwy lawdriniaethau cyn bod y plentyn yn flwydd oed, gall effeithio ar y wefus a'r trwyn ac ar iaith ac anadlu tymor hir.

Gall plentyn â gwefus neu daflod hollt:

- fod â nodweddion ffisegol sydd yn effeithio ar y wefus a'r trwyn;
- cael anhawster wrth ynganu rhai geiriau;
- siarad yn drwynol;
- cael problemau yn ymwneud â'r clyw neu ddioddef o glustiau gludiog;
- bod â diffyg hunanhyder o ganlyniad i edrych a/neu siarad yn wahanol (Buttriss & Callander, 2008).

Rhai strategaethau a fydd o gymorth ar gyfer cefnogi'r disgyblion hyn yw:

- cysylltu yn rheolaidd â gweithwyr proffesiynol eraill, e.e. therapydd iaith a lleferydd;
- gwrando yn astud a gofalus ar y plentyn;
- annog y plentyn i fagu hyder trwy siarad a darllen mewn ystod o sefyllfaoedd;
- annog y plentyn i siarad yn arafach os oes angen;
- sicrhau bod y plentyn yn eistedd yn agos at yr athro/athrawes os yw'n cael anhawster clywed;
- dilyn rhaglen o weithgareddau i wella sgiliau siarad y plentyn ac i'w ch/gynorthwyo i siarad yn fwy eglur.

Gwybodaeth bellach:
APADGOS (2007ch: 105-106)
Buttriss & Callander (2008: 46-47)

Gweithiwr/wraig Cymdeithasol

Cyflogir gweithwyr cymdeithasol gan adran gwasanaethau cymdeithasol yr awdurdod lleol ac mae ganddynt gyfrifoldeb dros faterion yn ymwneud â:

1. diogelu plant;
2. plant mewn angen;
3. plant mewn gofal.

Mae'n ofynnol iddynt gadw cofrestr o blant a ystyrir fel rhai 'mewn perygl' sydd yn cynnwys plant:

- sy'n cael eu cam-drin neu eu hesgeuluso;
- sydd ag anabledd arwyddocaol, e.e. palsi'r ymennydd, anhwylder sbectrwm awtistig, Syndrom Down;
- sydd â'u rhieni'n sâl neu ag anabledd;
- mewn teuluoedd lle mae straen difrifol o ganlyniad i amgylchiadau megis diffyg gwaith, digartrefedd neu farwolaeth yn y teulu;
- mewn teuluoedd sy'n cael trafferthion ac yn methu rhianta yn briodol;
- sydd yn dangos ymddygiad cymdeithasol annerbyniol;
- o deuluoedd incwm isel;
- lle mae un rhiant yn absennol yn barhaol, e.e. marwolaeth, mewn carchar;
- plant mewn gofal sydd yn destun gorchymyn gofal, e.e. mewn gofal maeth.

Pan fydd adolygiadau blynyddol neu asesiad statudol o anghenion plant, mi fydd gweithwyr cymdeithasol o bosib yn darparu adroddiadau ysgrifenedig. Byddant yn cydweithio mewn partneriaeth gyda gwasanaethau eraill megis y gwasanaeth iechyd, yr ysgol, yr awdurdod addysg leol yn ogystal â'r rhieni/gofalwyr neu aelod o'r teulu i sicrhau lles a datblygiad y plentyn (Buttriss & Callander, 2008).

Gwybodaeth bellach:
Buttriss & Callander (2008: 153-154)

Gweithredu yn y Blynyddoedd Cynnar / Gweithredu gan yr Ysgol

Prif bwrpas cyflwyno rhaglen Gweithredu yn y Blynyddoedd Cynnar/Gweithredu gan yr Ysgol yw cefnogi datblygiad plentyn sydd â rhwystrau tuag at ddysgu ac sy'n profi diffyg cynnydd mewn meysydd megis:

- llythrennedd a rhifedd;
- sgiliau emosiynol;
- ymddygiad;
- sgiliau corfforol a/neu synhwyrol;
- sgiliau cyfathrebu a/neu ryngweithio (Glazzard et al. 2010).

Yn fynych mae hyn yn her yn y dosbarth Meithrin a Derbyn oherwydd mae plant yn ymateb yn wahanol wrth drosglwyddo o'r cartref neu'r feithrinfa i'r ysgol a dyma gyfnod hefyd pan welir newid sylweddol yn natblygiad y plentyn (Jones, 2004). Gellir cynllunio rhaglen bwrpasol ar gyfer y plentyn trwy gyflwyno ymyriadau sydd naill ai'n ychwanegol neu'n wahanol i'r strategaethau arferol a ddefnyddir ar gyfer gwahaniaethu yn y dosbarth. Gall hyn amrywio o addasu adnoddau neu ddulliau dysgu hyd at ddarparu cymorth a chefnogaeth oedolyn ychwanegol.

Mae'n bwysig bod athrawon ac oedolion eraill sydd yn gweithio gyda phlant ifanc yn adnabod unrhyw rwystrau cyn gynted â phosib. Pan fydd plentyn ar lefel Gweithredu yn y Blynyddoedd Cynnar/Gweithredu gan yr Ysgol bydd angen cydweithredu â'r cydlynydd ADY er mwyn:

- casglu tystiolaeth a gwybodaeth berthnasol am anghenion y plentyn;
- cynnal asesiadau anffurfiol;
- cyfathrebu a thrafod gyda rhieni/gofalwyr yn gynnar yn y broses;
- datblygu cynllun chwarae/addysg/ymddygiad unigol (dan arweiniad y cydlynydd ADY);
- sicrhau bod targedau CAMPUS o fewn y cynllun chwarae/addysg/ymddygiad unigol er mwyn i'r plentyn fedru gwneud cynnydd;
- adolygu'r cynllun chwarae/addysg/ymddygiad unigol yn rheolaidd gan sicrhau bod y plentyn a'r rhieni/gofalwyr yn rhan o'r broses;
- gwerthuso strategaethau a darpariaeth bresennol a chynllunio sut y gellid diwallu anghenion y plentyn yn y dyfodol (APADGOS, 2007ch).

Gwybodaeth bellach:
APADGOS (2007ch: 15)
Glazzard et al. (2010: 20-21)
Jones (2004: 38–40)
LICC (2004)

Gweithredu yn y Blynyddoedd Cynnar a Mwy / Gweithredu gan yr Ysgol a Mwy

Os ystyrir na wneir cynnydd 'digonol' ar raglen Gweithredu yn y Blynyddoedd Cynnar/Gweithredu gan yr Ysgol yna bydd yr ysgol yn chwilio am gyngor pellach gan asiantaethau neu wasanaethau allanol megis:

- therapydd iaith a lleferydd;
- ffisiotherapydd;
- therapydd galwedigaethol;
- athrawon arbenigol ADY;
- athrawon cefnogi ymddygiad;
- swyddogion cynhwysiant.

Bydd y rhain yn ymweld â'r ysgol er mwyn arsylwi ac asesu'r ddarpariaeth bresennol o fewn y cynllun chwarae/cynllun addysg/cynllun ymddygiad unigol ac yn cynnig cyngor pellach. Efallai y byddant yn awgrymu bod angen asesiadau arbenigol, e.e. gan baediatregydd, neu yn awgrymu strategaethau neu adnoddau arbenigol (Jones, 2004). Dylid ystyried nad diffyg yn natblygiad y plentyn yw'r unig ddylanwad ar gynnydd ond hefyd a yw'r ddarpariaeth, yr adnoddau a'r dulliau dysgu yn addas ar gyfer anghenion dysgu yr unigolyn (Glazzard et al., 2010).

Un o gyfrifoldebau'r cydlynydd ADY yw cysylltu gydag asiantaethau allanol ar ran yr ysgol, ac mae'n hynod bwysig hefyd bod y rhieni/gofalwyr yn ymwybodol o hyn ac yn trefnu cyfarfodydd gyda hwy er mwyn rhannu gwybodaeth. Os oes pryderon pellach ynglŷn â chynnydd a datblygiad y plentyn yn dilyn yr ail gyfnod adolygu, yna bydd rhaid penderfynu a oes angen i'r plentyn gael adolygiad statudol o'i anghenion (Jones, 2004).

Gwybodaeth bellach:
Glazzard et al. (2010: 20-21)
Jones (2004: 38–40)
LICC (2004)

HIV ac AIDS

Feirws yw HIV sy'n atal y system imiwnedd rhag gweithio'n iawn a'i gwneud yn llai effeithiol wrth ymladd heintiau. Defnyddir y term AIDS pan mae niwed i'r system imiwneiddio o ganlyniad i HIV.

Nid yw HIV ac AIDS yn salwch ar eu pennau eu hunain ond gallant arwain at ddatblygu heintiau neu dyfiant eraill. Mae'r effeithiau yn amrywio ymhlith unigolion a gall plant sydd wedi eu geni gyda HIV neu AIDS fynychu ysgol prif ffrwd heb unrhyw berygl o ragfarn neu wahaniaethu. Ni ellir dal HIV trwy beswch, tisian, cyffwrdd neu gofleidio felly mae dilyn rheolau hylendid priodol yn gam digonol i arbed y feirws rhag lledu. Gall symptomau gynnwys:

- nodau lymff chwyddedig;
- heintiau bacteriol aml a difrifol;
- colli pwysau;
- tyfiant araf;
- datblygu brech neu gyflyrau croen;
- diffyg egni ac ymddangos yn welw.

Mae'n bosib bydd y plentyn wedi colli un neu ddau riant o ganlyniad i'r feirws. Mewn achosion o'r fath bydd perthnasau yn fynych yn dewis peidio rhannu diagnosis y plentyn felly ni fydd yr ysgol yn ymwybodol o'r sefyllfa. Er hynny os rhennir gwybodaeth mae'n bwysig bod systemau cyfathrebu clir rhwng staff o fewn yr ysgol a rhwng yr ysgol a'r cartref, yn enwedig os oes unrhyw heintiau o gwmpas (Buttriss & Callander, 2008).

Gwybodaeth bellach:
Buttriss & Callander (2008: 71-72)
Elusen Rhyngwladol HIV ac AIDS –
www.avert.org/children.htm

Hydrocephalus

Anhwylder yw hwn lle caiff hylif dyfrllyd ei gynhyrchu'n barhaus drwy'r ymennydd i gyd. Fel arfer caiff plentyn sy'n dioddef o hydrocephalus lawdriniaeth i osod tiwben i ddraenio'r llif ac i leihau'r pwysedd ar yr ymennydd. Gall plentyn gael ei eni â hydrocephalus neu gall ddatblygu os ydy wedi cael ei eni yn gynnar. Mae'r rhan fwyaf o blant â spina bifida hefyd yn dioddef o hydrocephalus, a gall ddatblygu o ganlyniad i strôc, gwaedlif neu diwmor ar yr ymennydd (APADGOS, 2007ch).

Gall plentyn â hydrocephalus:

- ddioddef ffitiau (nid o ganlyniad uniongyrchol i'r cyflwr ond oherwydd bod y llwybrau i'r ymennydd wedi cael eu blocio);
- bod ag anawsterau dysgu amrywiol;
- cael anhawster canolbwyntio, rhesymu a meddu ar ddiffyg sgiliau cof tymor byr;

- profi anhawster gyda chymhelliant a sgiliau trefnu;
- ymddangos yn lletchwith o ganlyniad i sgiliau cydsymud a chyswllt llaw a llygad gwan;
- pryderu wrth glywed synau bob dydd;
- bod â rhywfaint o nam ar y golwg;
- profi anawsterau anadlu, llyncu a siarad.

Bydd y nodweddion hyn yn amrywio o un plentyn i'r llall. Dylai athrawon ddatblygu strategaethau a darparu gweithgareddau addas er mwyn datblygu'r sgiliau y cyfeirir atynt uchod, gan roi digon o ganmoliaeth ac anogaeth er mwyn adeiladu hyder a hunan-barch (Buttriss & Callander, 2008).

Gwybodaeth bellach:
APADGOS (2007ch: 110)
Buttriss & Callander (2008: 73-74)
Cymdeithas Spina Bifida a Hydrocephalus – www.asbah.org

Lefelau P

Defnyddir lefelau P, sy'n cynnwys wyth lefel gwahanol, i asesu cynnydd y plant hynny sydd yn gweithio ar lefel is na lefel 1 y Cwricwlwm Cenedlaethol. Mae'r lefelau P yn fwy defnyddiol ar gyfer tracio cynnydd plant ag ADY gan eu bod yn cydnabod camau llai y bydd y plant hynny yn eu gwneud (Glazzard et al. 2010:17). Caiff sgiliau craidd yn ogystal â sgiliau personol a chymdeithasol eu hasesu ar y lefelau hyn.

Gwybodaeth bellach:
Asiantaeth Datblygu Cymwysterau a Chwricwlwm –
www.qcda.gov.uk/assessment/537.aspx
Glazzard et al. (2010: 17)

Leukaemia

Mae Leukaemia yn afiechyd sy'n effeithio ar gelloedd gwyn y gwaed a dyma draean o holl achosion canser plentyndod. Mae celloedd Leukaemia yn lluosi ym mêr yr esgyrn ac mae'r broses o gynhyrchu celloedd arferol yn arafu. Pan fydd plant yn dioddef o Leukaemia byddant:

- yn dioddef o heintiau parhaus;
- â diffyg archwaeth bwyd ac yn colli pwysau;
- yn blino'n rhwydd ac angen gorffwys cyson;
- â chwarennau (glands) chwyddedig;
- angen triniaeth reolaidd a fydd o bosib â sgil effeithiau.

Er mwyn sicrhau bod y plentyn yn cael bywyd ysgol mor normal â phosib bydd angen i athrawon gyfathrebu'n gyson ynglŷn â sefyllfa'r plentyn. Bydd angen hysbysu'r rhieni o unrhyw heintiau neu afiechydon sydd yn yr ysgol gan y gallai'r rhain effeithio arno/i oherwydd system imiwnedd isel.

Gwybodaeth bellach:
Buttriss & Callander (2008: 75)
Cymdeithas CLIC Sargent ar gyfer plant â chanser -
www.clicsargent.org.uk/Aboutchildhoodcancer/Forteachers

Lleiafrif Ethnig

Cyfeiria'r term ethnig at blant a theuluoedd sydd yn rhannu un neu fwy o'r canlynol:

- iaith;
- hil;
- diwylliant;
- crefydd;

- lliw croen;
- treftadaeth;
- gwerthoedd cyffredin.

Yn yr un modd cyfeiria 'lleiafrif ethnig' at y bobl hynny sy'n byw yng Nghymru neu'r Deyrnas Unedig (DU) ond nad yw eu cefndir ethnig yr un peth â mwyafrif poblogaeth Cymru neu'r DU. Gall hyn gynnwys mewnfudwyr o rannau eraill o Ewrop megis Dwyrain neu Orllewin Ewrop (LICC, 2003). Un o brif amcanion Llywodraeth Cynulliad Cymru (2006b: 6) yw 'cynnal strategaeth ar gyfer cyrhaeddiad lleiafrifoedd ethnig sy'n sicrhau bod anghenion pob grŵp ethnig lleiafrifol, yn cynnwys sipsiwn, teithwyr a phlant sy'n ceisio lloches, yn cael eu diwallu'n fwy effeithiol'.

Mewn cyd-destun dosbarth mae'n bwysig dathlu hunaniaeth pob plentyn, gan hybu ethos cynhwysol sydd yn osgoi rhagfarn a stereoteipio ar sail gwahaniaeth. Gellir gwneud hyn drwy:
- chwilio neu ofyn am wybodaeth ynglŷn â chefndir ac arferion plant o leiafrif ethnig;
- dathlu arferion a nodweddion gwahanol;
- hybu ethos o barch tuag at wahaniaeth yn athroniaeth yr ysgol;
- arddangos enghreifftiau o ieithoedd cartref y plant;
- darparu cyfleodd i ymuno mewn dathliadau gwahanol ddiwylliannau a chrefyddau, e.e. Diwali, y flwyddyn newydd Tsieineaidd;
- cyflwyno adnoddau ac arteffactau o wahanol ddiwylliannau a chrefyddau, e.e. doliau Persona, gwisgoedd traddodiadol, gwahanol lyfrau crefyddol;

- gwahodd rhieni/gofalwyr neu siaradwyr gwadd i'r ysgol i siarad gyda'r plant am wahanol arferion a thraddodiadau;
- sicrhau bod pob plentyn yn cael mynediad llawn i'r cwricwlwm;
- darparu llythyron yn newis iaith y rhieni/ gofalwyr a darparu cyfieithydd os bydd angen mewn unrhyw gyfarfodydd (Baldock, 2010).

Gwybodaeth bellach:
Baldock (2010)
Estyn (2005)
LICC (2003)
LICC (2006b)
Miles & Ainscow (2011)

Mudandod Dewisol

Anhwylder yn ymwneud â phryder i siarad mewn rhai sefyllfaoedd yw Mudandod Dewisol. Bydd plant yn siarad yn gwbl rugl mewn ambell sefyllfa ac yn aros yn gwbl dawel mewn sefyllfaoedd eraill, e.e. yn siarad yn hyderus yn y cartref ond yn gwrthod siarad yn yr ysgol. Dengys ystadegau'r Gymdeithas Gwybodaeth ac Ymchwil i Fudandod Dewisol bod mudandod dewisol gan 6 o bob 1000 o blant (www.smira. org.uk, 2010). Gall y cyflwr hwn ddechrau yn gynnar iawn ym mywyd plentyn, ac mewn rhai achosion gall fod yn gyflwr dros dro, e.e. wrth ddechrau ysgol neu wrth fod yn glaf mewn ysbyty.

Rhai nodweddion mudandod dewisol yw:
- ofn pobl yn enwedig pobl ddieithr;

- swildod;
- teimlo'n anghyfforddus wrth wneud cyswllt llygad;
- diffyg mynegiant y rhan fwyaf o'r amser;
- nam ar y clyw.

Gall y cyflwr barhau trwy gydol bywyd ysgol y plentyn gan ddylanwadu ar rwystrau i gyfathrebu nes ymlaen mewn bywyd. Mae ymyrraeth gynnar yn hanfodol felly er mwyn cael gwared ar y cyflwr yn gyfan gwbl yn ystod blynyddoedd cyntaf bywyd y plentyn. Rhai strategaethau y gellid eu defnyddio i gefnogi'r plant hyn yw:

- anogaeth a chysur parhaus;
- datblygu perthynas un i un rhwng y plentyn a chynorthwyydd cynnal dysgu mewn amgylchedd tawel am gyfnod byr bob dydd;
- osgoi sefyllfaoedd ac amgylchedd sydd yn achosi pryder i'r plentyn;
- sefydlu lle diogel yn y dosbarth y gall y plentyn fynd iddo pan mae'n teimlo'n bryderus;
- creu trefn reolaidd gyfarwydd a phleserus er mwyn annog y plentyn i gymryd rhan;
- defnyddio pypedau mewn sefyllfaoedd anffurfiol, lle mae'r pyped yn siarad;
- annog y plentyn i gymryd rhan mewn gemau a gweithgareddau di-eiriau;
- annog ymatebion drwy ystumiau neu ar lafar mewn sefyllfaoedd lle mae'r plentyn yn teimlo'n ddiogel (Buttriss & Callander, 2008: 92-93).

Gwybodaeth bellach:
APADGOS (2007ch: 112-113)
Buttriss & Callander (2008: 92-93)

MacConville (2010: 235-247)
AFASIC Cymru (Cymdeithas i gefnogi plant sydd ag anawsterau
iaith a chyfathrebu a'u rhieni)- www.afasiccymru.org.uk
Cymdeithas Gwybodaeth ac Ymchwil i Fudandod Dewisol -
www.smira.org.uk

Mynediad

Nodir yn Rhan 4 Deddf Gwahaniaethu ar Sail Anabledd
2005 ei bod yn ofynnol i bob corff llywodraethu sicrhau bod
cynlluniau ar gael i gynyddu mynediad i addysg i ddisgyblion
anabl mewn 3 ffordd:

- 'cynyddu gallu disgyblion anabl i gymryd rhan
  yn y cwricwlwm;
- gwella amgylchedd yr ysgol er mwyn cynyddu
  gallu disgyblion anabl i fanteisio ar
  wasanaethau addysg a chysylltiol;
- gwella'r ffordd y darperir i ddisgyblion anabl yr
  wybodaeth a ddarperir yn ysgrifenedig i
  ddisgyblion nad ydynt yn anabl' (APADGOS,
  2007c: 17).

Gall hyn amrywio o hyfforddiant ar sut i symud o le i le a'r
defnydd o Braille ar gyfer plant â nam ar y golwg i addasu
adeiladau ar gyfer plant ag anableddau corfforol.

Trwy gyflwyno rhai strategaethau syml, galluogir dysgwyr
ag AAA i gael mynediad i'r un cyfleoedd dysgu a gweddill eu
cyfoedion. Dyma rai awgrymiadau:

- cyflwyno gwybodaeth ymlaen llaw cyn y wers
  fel bod y plant yn medru gwneud cynnydd yn

ystod y wers;

- defnyddio adnoddau TGCh, e.e. defnyddio prosesydd geiriau, dictaffon, 'i-pad' neu feddalwedd sy'n trawsnewid iaith lafar yn ysgrifenedig;
- cydweithio gyda chynorthwyydd dosbarth;
- cydweithio gyda phartner dysgu;
- defnyddio ffyrdd amrywiol o gofnodi gwaith, e.e. fideo, camera digidol;
- darparu adnoddau i gefnogi'r dysgu, e.e. llythrennau/rhifau magnetig, banc o eiriau, geiriaduron, llinellau rhif, sgwâr 100, sisyrnau arbennig (Glazzard et al. 2010).

Mae'r term galluogi mynediad yng nghyd-destun ehangach ADY yn cyfeirio at wella cyfranogiad disgyblion yn y cwricwlwm ac mewn gweithgareddau dysgu eraill gan gynnwys gweithgareddau allgyrsiol. Gall hyn gynnwys adolygu dulliau a strategaethau addysgu ac asesu ym mhob pwnc, adnewyddu partneriaethau gweithiol rhwng rhieni a gweithwyr proffesiynol a datblygu eiriolaeth. Mae sicrhau mynediad yn gyfrwng i herio'r rhwystrau rhag dysgu a chyfranogiad sydd gan rai plant ag ADY (Farrell, 2009).

Gwybodaeth bellach:
APADGOS (2007c)
Farrell, M. (2009: 5)
Glazzard et al. (2010)

Nam ar y Clyw

Mae 'nam ar y clyw' yn derm cyffredinol a ddefnyddir i ddisgrifio gwahanol raddfeydd a mathau o nam ar y clyw a byddardod. Nid yw nam ar y clyw yn golygu na all y plentyn adnabod unrhyw synau o gwbl, ond bod rhai synau yn gliriach na'r gweddill (Westwood, 2011).

Nid yw o reidrwydd chwaith yn golygu bod gan y plentyn anawsterau dysgu eraill, ond gall effeithio ar ddatblygiad iaith a chyfathrebu gan ddibynnu ar oedran y plentyn pan fo'n colli ei glyw.

Mae 4 math o nam ar y clyw sef:

i.   byddardod dargludol – sy'n effeithio ar y glust ganol, yn gyffredin iawn ymhlith plant ifanc ac yn gwella wrth i'r plentyn dyfu'n hŷn;

ii.   byddardod nerfol – cyflwr parhaol sy'n effeithio ar y glust fewnol;

iii.   byddardod cymysg – cyfuniad o'r ddau uchod;

iv.   byddardod mewn un glust – sy'n effeithio ar un glust yn unig.

Gall difrifoldeb y cyflwr hefyd amrywio:

i.   ysgafn – y plentyn yn clywed y rhan fwyaf o'r hyn a gaiff ei ddweud ond yn cael anhawster os oes llawer o sŵn yn y cefndir;

ii.   cymedrol – y plentyn yn aml yn camddeall yr hyn a ddywedir neu yn methu clywed rhannau hanfodol o'r hyn gaiff ei ddweud;

iii.   difrifol – o bosib bydd y plentyn yn medru clywed llais y person sy'n siarad, ond ni fydd ganddo/i lawer o ymwybyddiaeth o ran amser berfau, enwau lluosog, ôl-ddodiaid, rhagddodiaid a mân wahaniaethau o ran ystyr;

iv.   dwys – ni fydd gan y plentyn lawer o ymwybyddiaeth o ddeinameg sain (APADGOS, 2007ch).

Bydd y mwyafrif o ddisgyblion â nam ar y clyw rhwng cymedrol a difrifol mewn ysgolion prif ffrwd. Bydd rhai yn defnyddio cymorth clyw ac o bosib bocs neu feicroffon ar gyfer yr athro/athrawes er mwyn dargludo'r llais yn well. Ceir unedau ar gyfer plant â nam ar y clyw mewn rhai ysgolion prif ffrwd.

Bydd plant â nam ar y clyw:

- yn dibynnu ar gliwiau gweledol neu'n darllen gwefusau;
- yn cael peth anhawster gydag iaith a lleferydd;
- angen cefnogaeth gyfredol gan therapydd iaith a lleferydd;
- angen cefnogaeth gyfredol gan y gwasanaeth lleol ar gyfer plant â nam ar y clyw;
- yn cael anhawster clywed pan fydd sŵn cefndirol yn y dosbarth;
- yn camddeall cyfarwyddiadau ac yn ceisio copïo eu cyfoedion;
- o bosib angen defnyddio dull arwyddo wrth gyfathrebu, e.e. Iaith Arwyddo Brydeinig (BSL), Makaton;
- yn cael anhawster gwrando neu wylio rhaglenni ar y radio neu'r teledu.

Mewn ysgolion prif ffrwd gellir cefnogi'r plentyn â nam ar y clyw drwy:

- ofyn am a derbyn canllawiau a chymorth gan y

- gwasanaeth ar gyfer plant â nam ar y clyw;
- ofyn am a derbyn canllawiau a chymorth gan y gwasanaeth therapi iaith a lleferydd;
- sicrhau bod y plentyn yn eistedd lle y gall weld yr athro/athrawes yn glir;
- sicrhau bod cyn lleied â phosib o sŵn yn y cefndir;
- ymgyfarwyddo gyda'r math o gymorth clyw mae'r plentyn yn ei ddefnyddio;
- siarad yn glir a chryno gan ailadrodd os nad yw'r plentyn wedi deall;
- defnyddio ystumiau'r wyneb i atgyfnerthu'r hyn a ddywedir;
- dysgu arwyddo;
- defnyddio is-deitlau wrth wylio rhaglenni teledu;
- addasu tasgau yn unol â lefel iaith y plentyn;
- dysgu gweddill y disgyblion sut i gyfathrebu gyda phlentyn â nam ar y clyw (Buttriss & Callander, 2008).

Gwybodaeth bellach:
APADGOS (2007ch: 88-90)
Buttriss & Callander (2008: 67-68)
Cymdeithas Brydeinig Athrawon i'r Byddar – www.batod.org.uk
Cymdeithas Genedlaethol ar gyfer Plant Byddar (NDCS) – www.ndcs.org.uk
Cymdeithas Pobl Fyddar Cymru – www.britishdeafassociation.org.uk
Deafsign – www.deafsign.com
SENSE Cymru – www.sense.org.uk
Westwood (2011: 45-52)

Nam ar y Golwg

Defnyddir y term 'nam ar y golwg' i ddisgrifio gwahanol lefelau o golli golwg. Gall amrywio o fod yn gwbl ddall lle dibynnir yn bennaf ar ddulliau cyffyrddol o ddysgu megis Braille, hyd at rannol ddall lle gall plant ddysgu trwy ddulliau sy'n dibynnu mwy ar y golwg megis defnyddio print o faint yn fwy, e.e. maint 18. Er hynny dylid cofio bod 80% o waith dysgu yn cael ei gyflawni drwy gyfrwng y llygaid (APADGOS, 2007ch). Yn sicr gall nam ar y golwg effeithio ar ddatblygiad cymdeithasol ac emosiynol plant, datblygiad iaith a deallusrwydd, y gallu i symud a'r synnwyr o le ac amser (Farrell, 2009).

Dywedir bod gan blentyn nam ar y golwg os na ellir gwella ei olwg i derfynau normal mewn unrhyw fodd a bydd yn dangos rhai o'r arwyddion canlynol:

- llygaid neu amrannau coch neu dro yn y llygaid;
- llygaid llaith iawn neu lygaid gludiog;
- heintiau rheolaidd ar y llygaid;
- agor a chau'r llygaid yn ormodol neu lygaid sigledig;
- rhwbio'r llygaid yn barhaus;
- canolbwyntio am gyfnodau byr yn unig;
- blino'n gyflym ar ôl unrhyw dasg weledol;
- dangos amharodrwydd i edrych ar lyfrau;
- dal llyfr yn rhy agos neu'n rhy bell a cholli lle wrth ddarllen;
- cwyno bod y print yn aneglur wrth ddarllen;
- anhawster wrth gopïo testun o'r bwrdd;
- crychu'r llygaid yn aml wrth edrych ar y bwrdd;
- gogwyddo'r pen i un ochr;
- symud y pen yn hytrach na'r llygaid wrth

ddarllen;
- bwrw mewn i gelfi o gwmpas y dosbarth (APADGOS, 2007ch, Buttriss & Callander, 2008).

Bydd angen cefnogaeth athrawon ymgynghorol ar gyfer plant â nam ar y golwg er mwyn diwallu eu hanghenion dysgu yn effeithiol. Bydd rhaid hefyd ddefnyddio ystod o synhwyrau er mwyn i'r plentyn ddod yn gyfarwydd ag amgylchedd yr ysgol. Gall y strategaethau canlynol hefyd gynorthwyo plentyn â nam ar y golwg:

- mwy o amser ar gyfer tasgau ymarferol, egluro ar lafar a chwblhau tasgau;
- mwy o gyfleoedd i weithio gyda gwrthrychau go-iawn;
- cymorth ychwanegol gyda sgiliau trefnu;
- cadw'r dosbarth yn daclus er mwyn osgoi damweiniau;
- gosod arddangosfeydd dosbarth amlwg lle gall y plentyn fynd atynt yn rhwydd;
- ailadrodd popeth a gaiff ei ysgrifennu ar y bwrdd ar lafar hefyd;
- sicrhau fod y plentyn yn eistedd yn y lle mwyaf addas ar gyfer gweld wyneb yr athro/athrawes;
- sicrhau fod golau'r dosbarth yn ddigonol ond nid yn rhy lachar;
- annog y plentyn i wisgo ei sbectol;
- defnyddio cod lliwiau cynradd cryf ar gypyrddau er mwyn i'r plentyn gael gafael mewn adnoddau neu i'w cadw;
- argraffu testun mewn print trwm ac mewn maint addas ar gyfer y plentyn;
- annog cymaint o annibyniaeth ag sy'n bosib;
- defnyddio offer a meddalwedd TGCh priodol,

e.e. 'Touchtype' neu addasu cyfrifiadur
(APADGOS, 2007ch; Buttriss & Callander, 2008).

Gwybodaeth Bellach:
APADGOS (2007ch: 91-93)
Buttriss & Callander (2008: 67-68)
Canolfan Nam ar y Golwg ar gyfer Addysgu ac Ymchwil (Visual Impairment Centre for Teaching and Research – VICTAR) – www.birmingham.ac.uk/research/activity/education/victar/index.aspx
Cyngor Cymru i'r Deillion – www.wcb-ccd.org.uk
Farrell (2009: 297-299)
RNIB Cymru – www.rnib.org.uk/services/cymru
SENSE Cymru – www.sense.org.uk

Nam Iaith Benodol

Gall nam iaith a lleferydd amrywio tipyn o fân anawsterau i anawsterau difrifol gyda dealltwriaeth a defnydd o iaith. Caiff diagnosis o nam iaith benodol ei wneud os yw'r plentyn yn profi anawsterau gyda datblygu iaith ond yn datblygu meysydd eraill heb unrhyw drafferth.

Bydd plant â nam iaith benodol yn profi anhawster gydag un neu fwy o'r meysydd canlynol:
- ffonoleg – prosesu a defnyddio sain llythrennau;
- gramadeg – trefn geiriau mewn brawddegau;
- dod o hyd i eiriau - galw'r geiriau cywir i gof;
- semanteg – ystyr geiriau;
- talu sylw a gwrando;
- pragmatig - defnyddio iaith i fynegi syniadau a theimladau.

Gellir cefnogi plant â nam iaith benodol yn y dosbarth trwy:

- ddefnyddio lluniau, arwyddion a symbolau i gefnogi'r dysgu;
- defnyddio deunyddiau gweledol a thiriaethol i gefnogi dealltwriaeth o eirfa newydd ar draws y cwricwlwm;
- annog y plentyn i gymryd rhan mewn gweithgareddau i gysylltu geiriau;
- chwarae gemau i ddatblygu dealltwriaeth o wahanol gategorïau, e.e. anifeiliaid fferm, bwyd, chwaraeon;
- rhannu cyfarwyddiadau yn bytiau a gwirio dealltwriaeth;
- adolygu cysyniadau a geirfa allweddol;
- defnyddio gwahanol ddulliau o gofnodi gwaith, e.e. mapiau meddwl, diagramau, siartiau, fframiau ysgrifennu, fideo, lluniau camera digidol;
- cyflwyno amser cylch er mwyn annog rhyngweithio cymdeithasol ac i ddatblygu sgiliau cyfathrebu;
- defnyddio gemau a gweithgareddau penodol i ddatblygu sgiliau cyfathrebu cymdeithasol (Buttriss & Callander, 2008).

Gwybodaeth bellach:
APADGOS (2007ch: 113)
Buttriss & Callander (2008: 97-98)
[AFASIC Cymru (Cymdeithas i gefnogi plant sydd ag anawsterau iaith a chyfathrebu a'u rhieni) – www.afasiccymru.org.uk]
ICAN (Elusen Addysg Genedlaethol ar gyfer Plant ag Anawsterau Iaith a Lleferydd – www.ican.org.uk

Parlys yr Ymennydd

Dyma'r term cyffredinol a ddefnyddir i gwmpasu grŵp o anhwylderau sy'n effeithio ar y cyhyrau a symudiadau. Os yw rhan yr ymennydd sydd yn rheoli symudiadau yn methu datblygu'n iawn, gall y plentyn gael ei eni gyda neu ddatblygu parlys yr ymennydd gan achosi negeseuon rhwng yr ymennydd â'r cyhyrau i fod yn gymysglyd. Ceir tri gwahanol fath a bydd llawer o blant yn dioddef o gyfuniad o'r tri, ond byddant yn effeithio arnynt mewn gwahanol ffyrdd ac i wahanol raddau.

Rhai nodweddion o barlys yr ymennydd yw:
- anawsterau cerdded a symud;
- cyhyrau gwan, stiff a llipa;
- poenau yn y cyhyrau;
- anhawster rheoli symudiadau;
- anhawster cadw ffrindiau oherwydd methu cymryd rhan lawn mewn gweithgareddau;
- diffyg hunan-barch;
- cyflyrau eraill megis nam ar y clyw, epilepsi;
- anawsterau dysgu mewn gweithgareddau penodol megis darllen, mathemateg neu wrth dynnu lluniau;
- angen cymorth gyda sgiliau gofal personol (Buttriss & Callander, 2008: 44).

Nid yw symptomau'r cyflwr yn gwaethygu na gwella dros amser ond gellir cyflwyno strategaethau i blant ymdopi gyda'r effeithiau ac i ddatblygu cymaint o annibyniaeth ag sy'n bosib. Gall y rhain gynnwys:
- sicrhau bod gan y plentyn fynediad llawn i bob

rhan o'r lleoliad/ysgol;
- sicrhau bod cefnogaeth briodol ar gael gan oedolyn os oes angen;
- defnyddio adnoddau TGCh i hybu'r dysgu;
- defnyddio adnoddau gweledol a chlywedol i atgyfnerthu'r dysgu;
- addasu gweithgareddau addysg gorfforol;
- dathlu galluoedd yn hytrach na thynnu sylw at anabledd;
- defnyddio amser cylch i drafod materion cynhwysiant gyda holl blant y dosbarth;
- cysylltu â gweithwyr proffesiynol eraill am gyngor ac arweiniad (APADGOS, 2007ch: 105, Buttriss & Callander, 2008: 45).

Gwybodaeth bellach:
APADGOS (2007ch: 105)
Bobath – www.bobath.org.uk
Buttriss & Callander (2008: 44-45)
SCOPE Cwmpas Cymru – www.scope.org.uk

Plant Gweithwyr Mudol

Ers ymaelodi gyda'r Undeb Ewropeaidd (UE) mae hawl gan ddinasyddion o Wledydd Derbyn yr UE, neu wledydd yr A12 fel y cânt eu hadnabod, ddod i'r Deyrnas Unedig i chwilio am waith. Y gwledydd yma yw:
- Cyprus;
- Gweriniaeth Tsiec;
- Estonia;
- Hwngari;
- Latfia;

- Lithwania;
- Malta;
- Gwlad Pwyl;
- Slofacia;
- Slofenia;
- Bwlgaria a Rwmania (trwy dderbyn caniatâd ymlaen llaw).

Gall rhai plant ddod o wledydd tu allan i'r UE hefyd megis Tsiena, India ac Ynysoedd y Phillipines. Mae hyn wedi arwain at gynnydd yn niferoedd y plant o'r gwledydd hyn sydd yn mynychu ysgolion yng Nghymru (Estyn, 2009). Gall mynychu ysgol mewn gwlad newydd lle mae'r iaith a'r diwylliant yn gwbl ddieithr brofi yn her i nifer o'r plant yma a gall arwain at rwystrau rhag dysgu'n llwyddiannus. Fel gyda disgyblion eraill ag ADY bydd y plant hynny sy'n dysgu Cymraeg neu Saesneg fel iaith ychwanegol yn elwa o amgylchedd dysgu o safon uchel ac o bosib ni fydd angen Cynllun Addysg Unigol. Er hynny os na wneir cynnydd boddhaol mae'n bosib bod gan y plentyn rwystrau heblaw rhwystrau ieithyddol a dylid cael cyngor proffesiynol er mwyn asesu hynny (Wearmouth, 2009).

Er mwyn cynnwys plentyn sydd yn dysgu Cymraeg neu Saesneg fel iaith ychwanegol, gellid ystyried y strategaethau canlynol:
- defnyddio enw'r plentyn yn gyson gan wirio bod yr ynganiad yn gywir;
- ystyried lle mae'r plentyn yn eistedd – tu blaen y dosbarth os yw'n bosib fel ei f/bod yn medru clywed yr athro/athrawes yn gwbl glir;
- rhoi'r plentyn i eistedd ar bwys plentyn arall sydd yn siarad yr un iaith ond sydd yn fwy hyderus yn yr ail iaith (neu siaradwyr Cymraeg/

Saesneg iaith gyntaf cefnogol);
- darparu cefnogaeth weledol ar gyfer iaith lafar, e.e. arddangos lluniau, ffotograffau a geiriau allweddol;
- darparu adnoddau yn iaith gyntaf y plentyn, e.e. llyfrau, storïau ar gryno ddisg;
- chwilio am gyngor gan arbenigwyr Saesneg fel Iaith Ychwanegol;
- defnyddio rhieni i gyfieithu geiriau a chysyniadau allweddol ac i rannu gwybodaeth am arferion diwylliannol y teulu;
- cael cymorth cynorthwyydd dosbarth dwyieithog neu gyfieithydd achlysurol;
- dysgu rhai geiriau syml yn iaith gyntaf y plentyn;
- dathlu gwahanol ddiwylliannau fel rhan naturiol o gwricwlwm y dosbarth;
- annog y plentyn i fod mor annibynnol â phosib (NALDIC, 2011).

Gwybodaeth bellach:
Cymdeithas Genedlaethol ar gyfer Datblygiad Iaith yn y Cwricwlwm (National Association of Language Development in the Curriculum – NALDIC) – www.naldic.org.uk/ITTSEAL2/teaching/Developinglanguageinthemainstreamclassroom.cfm
Estyn (2009)
Wearmouth (2009: 46)

Plant Mewn Gofal

Cyfeiria'r term 'plant mewn gofal' at y plant hynny sydd dan ofal cyhoeddus, hynny yw dan ofal yr Awdurdod Lleol. Bydd rhai mewn cartrefi maeth neu gartrefi plant, tra bod eraill yn byw gyda'u teulu neu deulu estynedig dan orchymyn gofal.

Mae perygl i'r plant hyn dangyflawni yn yr ysgol oherwydd profiadau blaenorol negyddol mewn bywyd. Bydd nifer ohonynt â disgwyliadau isel ac yn profi anawsterau emosiynol, cymdeithasol, seicolegol ac ymddygiadol o ganlyniad i ddiffyg cefnogaeth deuluol yn y gorffennol. O ganlyniad mae gofal bugeiliol dros y plant yma a delio gyda'u hanghenion mewn modd sensitif llawn mor bwysig â'r ddarpariaeth addysgiadol. Serch hynny mae profiadau da yn yr ysgol yn gyfle i'r plant hyn gael gwell cyfleoedd mewn bywyd.

Bydd athro/athrawes benodol â chyfrifoldeb dros blant mewn gofal sydd yn mynychu'r ysgol a bydd yn cydweithio'n agos gyda swyddogion yr Awdurdod Lleol, gofalwyr y plentyn ac asiantaethau eraill os yw'n briodol er mwyn galluogi'r plant yma i wireddu eu llawn botensial. Byddant hefyd yn gyfrifol am rannu gwybodaeth berthnasol am y plentyn gyda gweddill y staff.

Rhai materion pellach i'w hystyried er mwyn cynnwys plentyn mewn gofal yn llwyddiannus:

- llunio Cynllun Addysg/Chwarae Unigol ar gyfer y plentyn;
- monitro presenoldeb a chyrhaeddiad;
- asesu cyson;
- sicrhau cyfrinachedd bob amser;

- darparu cyfleoedd i'r plentyn ddatblygu hunanhyder a hunan-barch;
- annog cyfranogiad y plentyn;
- sicrhau bod y plentyn yn cael cyfleoedd i gymryd rhan ym mhob agwedd ar fywyd yr ysgol gan gynnwys gweithgareddau allgyrsiol;
- sicrhau bod adnoddau pwrpasol ar gael i gefnogi dysgu'r plentyn;
- darparu cyfleoedd datblygiad proffesiynol i staff er mwyn gwella ymwybyddiaeth.

Mewn rhai achosion bydd yr Awdurdod Lleol yn darparu adnoddau ychwanegol, e.e. cyfrifiaduron er mwyn cefnogi dysgu'r disgyblion hyn.

Gwybodaeth bellach:
Cairns (2004)
Golding et al. (2006)
Jackson & Thomas (2000)

Polisi Anghenion Addysg Arbennig/Anghenion Dysgu Ychwanegol

Yng Nghod Ymarfer AAA Cymru 2002 nodir ei bod yn ofynnol i bob Awdurdod Lleol, sefydliadau blynyddoedd cynnar ac ysgolion a gynhelir gyhoeddi polisi AAA. Yn y polisi nodir sut y byddant yn cydymffurfio â gofynion:

- Deddf Addysg 1996;

- Deddf Gwahaniaethu ar sail Anabledd 1995 a 2002;
- Rheoliadau AAA;
- Cod Ymarfer AAA Cymru 2002 a chanllawiau statudol eraill.

Bydd y polisi hefyd yn nodi'r prif egwyddorion sy'n sail i'r ddarpariaeth AAA/ADY gan gynnwys:
- enw a rôl y cydlynydd AAA/ADY;
- sut y caiff disgyblion ag AAA/ADY eu cynnwys ym mhob agwedd ar fywyd yr ysgol;
- pa gamau a gymerir i sicrhau mynediad i bob plentyn i bynciau'r cwricwlwm yn ogystal â mynediad ffisegol i wahanol rannau o'r ysgol;
- sut y gweithredir yr ymateb graddoledig o fewn yr ysgol gan gynnwys canllawiau ar gyfer adolygu Cynlluniau Addysg/Chwarae/ Ymddygiad Unigol a datganiadau o AAA;
- dulliau monitro ac asesu anghenion amrywiol y dysgwyr;
- sut y datblygir cydweithrediad gyda rhieni/ gofalwyr ac asiantaethau proffesiynol eraill;
- y modd y caiff llais a chyfranogiad y disgybl ei sicrhau;
- y gwasanaeth eiriolaeth a ddarperir.

'Dylai'r holl staff dysgu a staff arall fod â rhan yn y gwaith o ddatblygu polisi AAA'r ysgol a dylent fod yn hollol ymwybodol o drefniadau'r ysgol ar gyfer canfod ac asesu disgyblion sydd ag AAA a darparu ar eu cyfer' (LlCC, 2004: 29). Dylai'r polisi hwn hefyd gael ei fonitro, ei werthuso a'i adolygu'n rheolaidd er mwyn sicrhau ei fod yn cwrdd â gofynion pob disgybl ag AAA/ADY o fewn y sefydliad.

Gwybodaeth bellach:
LlCC (2004)

Portage

Rhaglen a ddatblygwyd yn wreiddiol yn yr Unol Daleithiau yw Portage. Y bwriad oedd ymateb i'r rhwystrau oedd gan rieni mewn ardaloedd gwledig i gael cefnogaeth bwrpasol os oedd ganddynt bryderon ynglŷn ag oedi yn natblygiad eu plant. Ers canol y 1970au mae'r gwasanaeth ar gael yn y Deyrnas Unedig ac wedi lledu ar hyd a lled Cymru. Gwasanaeth yn y cartref yw hwn ar gyfer teuluoedd a gofalwyr plant cyn oed ysgol sydd angen cymorth ychwanegol i ddatblygu cryfderau'r plentyn mewn meysydd megis:

- iaith a chyfathrebu;
- chwarae;
- sgiliau cymdeithasol;
- sgiliau echddygol bras a manwl;
- sgiliau personol, e.e. bwyta, gwisgo, defnyddio'r toiled (Mittler, 2006: 43).

Caiff y rhieni/gofalwyr gefnogaeth i ddatblygu sgiliau a hyder i allu helpu eu plentyn trwy ganolbwyntio ar ddulliau dysgu penodol y plentyn. Canolbwyntir ar gryfderau a gallu presennol y plentyn yn hytrach na thynnu sylw at y rhwystrau, gan baratoi'r plentyn at fywyd ysgol. Bydd gweithwyr Portage hefyd yn cydweithio'n agos gyda'r ysgol yn y broses drosglwyddo o'r cartref i'r ysgol.

Gall ymwelwyr cartref Portage fod yn:

- athrawon;

- therapyddion iaith a lleferydd;
- therapyddion galwedigaethol;
- nyrsys meithrin;
- ymwelwyr iechyd;
- nyrsys cymuned;
- gweithwyr cymdeithasol;
- rhieni neu wirfoddolwyr sydd â'r profiad perthnasol.

Byddant i gyd wedi cael eu hyfforddi gan Gymdeithas Genedlaethol Portage (www.portage.org.uk, 2011).

Gwybodaeth bellach:
Cymdeithas Genedlaethol Portage – www.portage.org.uk
Mittler (2006: 43-45)

Saesneg fel Iaith Ychwanegol

Gall plant sydd â Saesneg fel Iaith Ychwanegol brofi anawsterau wrth ymdrechu hyd eithaf eu gallu mewn ysgolion lle mai Saesneg neu Gymraeg yw prif iaith yr addysgu (Allen & Cowdery dyfynnir yn Westwood, 2011). Gall hyn fod o ganlyniad i anawsterau i ddeall iaith lafar ac ysgrifenedig ond hefyd amharodrwydd i ofyn ac ymateb i gwestiynau athrawon yn y dosbarth neu i ofyn am gymorth neu eglurhad pellach o ganlyniad i ddiwylliant gwahanol.

Er mwyn cynnwys plentyn sydd yn dysgu Cymraeg neu Saesneg fel iaith ychwanegol, gellid ystyried y strategaethau canlynol:
- defnyddio enw'r plentyn yn gyson gan wirio

bod yr ynganiad yn gywir;

- ystyried lle mae'r plentyn yn eistedd – tu blaen y dosbarth os yw'n bosib fel ei f/bod yn medru clywed yr athro/athrawes yn gwbl glir;
- rhoi'r plentyn i eistedd ar bwys plentyn arall sydd yn siarad yr un iaith ond sydd yn fwy hyderus yn yr ail iaith (neu siaradwyr Cymraeg/ Saesneg iaith gyntaf cefnogol);
- darparu cefnogaeth weledol ar gyfer iaith lafar, e.e. arddangos lluniau, ffotograffau a geiriau allweddol;
- darparu adnoddau yn iaith gyntaf y plentyn, e.e. llyfrau, storïau ar gryno ddisg;
- chwilio am gyngor wrth arbenigwyr Saesneg fel Iaith Ychwanegol;
- defnyddio rhieni i gyfieithu geiriau a chysyniadau allweddol ac i rannu gwybodaeth am arferion diwylliannol y teulu;
- cael cymorth cynorthwyydd dosbarth dwyieithog neu gyfieithydd achlysurol;
- dysgu rhai geiriau syml yn iaith gyntaf y plentyn;
- dathlu gwahanol ddiwylliannau fel rhan naturiol o gwricwlwm y dosbarth;
- annog y plentyn i fod mor annibynnol â phosib (NALDIC, 2011).

Gwybodaeth bellach:
Cymdeithas Genedlaethol ar gyfer Datblygiad Iaith yn y Cwricwlwm (National Association of Language Development in the Curriculum – NALDIC) – www.naldic.org.uk/ITTSEAL2/ teaching/Developinglanguageinthemainstreamclassroom.cfm
Yr Adran Addysg a Sgiliau (2000)

Estyn (2000)
Estyn (2005a)
Westwood (2011: 58-59)

Seicolegydd Addysg

Mae seicolegwyr addysg yn ffurfio rhan o dîm cymorth yr Awdurdod Lleol. Maent yn gweithio gyda phlant sydd yn profi rhwystrau tuag at ddysgu neu rwystrau emosiynol neu ymddygiadol mewn sefydliadau addysgol er mwyn ceisio ehangu eu potensial. Dylai'r cydlynydd AAA dderbyn caniatâd ysgrifenedig gan rieni/gofalwyr y plentyn cyn y gall y seicolegydd addysg weld unrhyw blentyn (Buttris & Callander, 2008:146).

Bydd y seicolegydd addysg yn cyd-weithio yn agos iawn gyda'r cydlynydd AAA a gydag athrawon a staff cymorth. Fel arfer byddant yn asesu disgyblion unigol yn yr ysgol drwy arsylwadau a gweithio gyda hwy ar lefel un i un, yn aml gan ddefnyddio deunyddiau asesu. Wedyn byddant yn llunio adroddiad ac yn dyfeisio rhaglenni a strategaethau ymyrraeth ar ôl ymgynghori gyda staff y dosbarth. Caiff y rhain eu monitro mewn ymweliadau pellach gyda'r plentyn (Glazzard et al., 2010: 121).

Mae'r seicolegydd addysg hefyd ynghlwm â darparu argymhellion ffurfiol ar gyfer y broses o lunio datganiad ac yn cynghori rhieni/gofalwyr ac addysgwyr proffesiynol drwy bob rhan o'r broses.

Gall rhai o'r dyletswyddau pellach gynnwys:
- ymgynghori gydag athrawon dosbarth am wybodaeth

- gyffredinol ynglŷn â phlant;
- mynychu adolygiadau blynyddol disgyblion sydd â datganiad o AAA;
- darparu Hyfforddiant Mewn Swydd a chefnogaeth i staff ar unrhyw agwedd o'u gwaith;
- cyfarfod a chynghori rhieni plant ag ADY;
- adrodd yn ôl i staff sydd wedi bod mewn amgylchiadau anodd gyda disgyblion neu rieni;
- mynychu cyfarfodydd cyswllt mewn ysgol gyda gweithwyr proffesiynol eraill, e.e. nyrs ysgol, swyddog lles addysgol;
- cynllunio sut i ail-gyflwyno plentyn sydd wedi bod yn absennol o'r ysgol am amser hir, e.e. oherwydd salwch, yn ôl i fywyd ysgol.

Gwybodaeth bellach:
Buttris & Callander (2008: 145-146)
Glazzard et al. (2010: 121-122)

Sglerosis Twberus

Anhwylder genetig aml-system yw Sglerosis Twberus ac mae'n achosi tyfiant ar yr ymennydd ac organau allweddol eraill yn y corff megis yr arennau, y galon, y llygaid, yr ysgyfaint a'r croen. Fel arfer bydd yn effeithio ar y system nerfol ganolog mewn cyfuniad o symptomau sydd yn cynnwys:

- ffitiau;
- problemau ymddygiad;
- oedi mewn datblygiad;
- anhwylder y croen;

- clefyd yr arennau;
- epilepsi;
- anawsterau dysgu.

Bydd symptomau yn amrywio o un plentyn i'r llall gan gael effaith ysgafn iawn ar rai tra bod effeithiau difrifol iawn ar eraill. Yn yr un modd bydd y gefnogaeth sydd ei hangen ar unigolion â Sglerosis Twberus yn amrywio hefyd o fod yn gwbl annibynnol mewn ysgol prif ffrwd i fod â datganiad o AAA (www.tuberous-sclerosis.org.uk, 2011).

Gwybodaeth bellach:
Cymdeithas Sglerosis Twberus Prydain –
www.tuberous-sclerosis.org.uk

Sipsiwn a Theithwyr

Nodir yn strategaeth Llywodraeth Cynulliad Cymru 'Creu'r Cysylltiadau – Cyflawni ar Draws Ffiniau', y dylid 'anelu at greu gwasanaeth addysg dinesydd-ganolog' sydd yn atebol 'i anghenion addysgol unigolion gan gynnwys rhai plant Sipsiwn-Teithwyr' (APADGOS, 2008b: 7). Mae nifer o blant sipsiwn a theithwyr yn mynychu ysgolion yng Nghymru a nifer hefyd yn gwrthod mynychu unrhyw ysgol ar sail traddodiadau'r rhieni. Gall presenoldeb ac agwedd tuag at addysg fod yn her i'r plant hyn ac o ganlyniad mae cyrhaeddiad addysgol nifer ohonynt yn isel (Estyn, 2011). Gall absenoldeb effeithio nid yn unig ar gyrhaeddiad addysgiadol ond hefyd ar ddatblygu sgiliau cymdeithasol a'r gallu i sefydlu perthynas a gwneud ffrindiau gyda phlant eraill (O'Hanlon, 2004).

Pan mae plant o deuluoedd sipsiwn a theithwyr yn yr ysgol mae'n bwysig sefydlu perthynas o ymddiriedaeth a pharch gyda'r rhieni/gofalwyr a'r gymuned ehangach. Mewn rhai ardaloedd mae athrawon yn mynd allan at blant a theuluoedd yn eu cartrefi er mwyn eu cynorthwyo gyda sgiliau sylfaenol (Estyn, 2011). Mae'n hanfodol hefyd deall a pharchu eu traddodiadau, eu diwylliant a'u ffordd o fyw sy'n cynnwys rhai o'r nodweddion canlynol:

- pwyslais ar uned deuluol gref, teuluoedd mwy a theuluoedd estynedig hynod o gadarn yn aml yn byw ar yr un safle;
- y gwerth a roddir ar blant a phwysigrwydd addysg o fewn yr uned deuluol;
- sgiliau mentergarwch, hunangyflogaeth a hyblygrwydd wrth geisio gwaith;
- traddodiadau diwylliannol caeth, rhai yn ymwneud â glanweithdra sy'n wahanol i'r rhai yn y gymuned sefydlog;
- hanes o ddwyieithrwydd a'r defnydd o iaith arbennig ac unigryw;
- synnwyr o falchder yn eu hunaniaeth ddiwylliannol;
- traddodiad o symudedd wrth geisio gwaith a hefyd teithio am resymau teuluol a diwylliannol megis, angladdau, priodasau, salwch teuluol neu ffeiriau Sipsiwn a Theithwyr (APADGOS, 2008b: 7).

Bydd nifer o'r plant hyn yn derbyn cymorth ychwanegol yn yr ysgol er mwyn iddynt fedru ymdopi gyda gwaith y dosbarth. Gall rhai o'r awgrymiadau canlynol fod yn ddefnyddiol ar gyfer addysgu plant sipsiwn a theithwyr:

- cyflwyno adnoddau sy'n parchu diwylliant a ffordd o fyw, e.e. llyfrau stori, arteffactau,

offerynnau cerdd;
- darparu amgylchedd lle mae'r plentyn yn teimlo'n ddiogel ac yn werthfawr;
- creu arddangosfeydd i ddathlu traddodiadau;
- darparu cefnogaeth bwrpasol er mwyn galluogi'r plentyn i gymryd rhan yn y dosbarth;
- osgoi tynnu sylw at absenoldebau;
- osgoi gwahardd plant o'r ysgol am gamymddwyn;
- annog annibyniaeth.

Gwybodaeth bellach:
APADGOS (2008b)
Estyn (2011)
Crowley (2003)
Cymdeithas Genedlaethol Athrawon Teithwyr (National Association of Teachers of Travellers – NATT) –
www.natt.org.uk
Derrington (2004)
O'Hanlon (2004)
Y Daith Ymlaen (adnoddau) – travellingahead.org.uk/toolkit/resources

SNAP Cymru

Mudiad gwirfoddol cenedlaethol ar gyfer plant yng Nghymru, a sefydlwyd yn 1986 yw Snap Cymru. Eu prif nod yw codi ymwybyddiaeth o faterion yn ymwneud ag ADY, AAA, anabledd a rhwystrau eraill i gynhwysiant. Gall hyn gynnwys gwaharddiad o ysgol neu addysg, diffyg ymrwymiad i addysg, tlodi, amddifadedd neu Gymraeg neu Saesneg fel iaith ychwanegol.

Maent yn cydweithio'n agos gyda theuluoedd, ysgolion, awdurdodau addysg, y gwasanaethau iechyd a'r gwasanaethau cymdeithasol i sicrhau fod anghenion plant a phobl ifanc yn cael eu hadnabod a'u hasesu. Maent hefyd yn sicrhau bod pob plentyn yn cael ei gynnwys yn llawn ac yn cael y ddarpariaeth briodol er mwyn iddynt fedru cyrraedd eu llawn botensial. Bydd staff a gwirfoddolwyr yn cydweithio gyda theuluoedd a gweithwyr proffesiynol i alluogi plant a phobl ifanc i gymryd rhan mewn cynllunio a gwneud penderfyniadau ar faterion sy'n effeithio arnynt.

Os oes angen maent hefyd yn darparu gwasanaeth eiriolaeth annibynnol i sicrhau bod llais y plentyn ag Anghenion Dysgu Ychwanegol (ADY) yn cael ei glywed. Mae'n ofynnol i bob Awdurdod Lleol (ALl) ddarparu gwasanaeth ffurfiol ar gyfer datrys anghydfod, e.e. pan mae achos yn cael ei gyfeirio at y Tribiwnlys Anghenion Addysg Arbennig (AAA). Mae gan SNAP

Cymru hwyluswyr sy'n arbenigo ac sydd wedi eu hyfforddi ar gyfer darparu'r gwasanaeth hwnnw a gall y rhieni/ gofalwyr, ysgolion a'r ALl ddefnyddio'r gwasanaeth (www. snapcymru.org.uk, 2011).

Gwybodaeth bellach:
SNAP Cymru – www.snapcymru.org.uk

Spina Bifida

Mae spina bifida yn anhwylder sydd yn effeithio ar linyn y cefn. Nid yw un neu ddau o'r fertebrâu wedi'u ffurfio'n gywir ac o ganlyniad achosir hollt sydd yn niweidio'r brif system nerfol. Dyma un o'r anableddau mwyaf cyffredin y caiff plant eu geni ag ef, ac mae'n effeithio tua 1 o bob 500 o fabanod.

Fel gydag anhwylderau difrifol eraill bydd yn effeithio ar blant i wahanol raddfa a bydd gan rai ohonynt hydrocephalus yn ogystal. Bydd mwyafrif y plant hyn fel arfer mewn cadeiriau olwyn ac angen cymorth corfforol ond byddant yn ddigon deallus ac yn mynychu ysgolion prif ffrwd. Gellir defnyddio rhai o'r strategaethau canlynol er mwyn cynnwys plant â spina bifida:

- eu hannog i gymryd rhan weithredol mewn gemau allan ar yr iard gan fod nifer lle nad oes angen neidio a rhedeg;
- defnyddio adnoddau TGCh i gynorthwyo'r dysgu ac i ddatblygu sgiliau prosesu geiriau;
- sicrhau bod mynediad llawn i bob rhan o'r lleoliad/ysgol, yn enwedig ystafelloedd ymolchi;
- sicrhau bod cefnogaeth briodol ar gael gan oedolyn sydd wedi'i hyfforddi;
- defnyddio adnoddau gweledol a chlywedol i atgyfnerthu'r dysgu;

- dathlu galluoedd yn hytrach na thynnu sylw at anabledd;
- defnyddio amser cylch a gweithgareddau a gemau penodol i annog a datblygu sgiliau cymdeithasol a chyfathrebu;
- gosod trefn dosbarth clir i annog datblygiad sgiliau trefnu;
- torri cyfarwyddiadau lawr i gamau bach a gwirio a chawsant eu deall ai peidio (Buttriss & Callander, 2008: 99-100).

Gwybodaeth bellach:
APADGOS (2007ch: 114)
Buttriss & Callander (2008: 99-100)
Cymdeithas Spina Bifida a Hydrocephalus – www.asbah.org

Syndrom Asperger

Dyma un arall o'r 'anableddau cudd'. Ceir diffyg cytundeb a yw Syndrom Asperger yn rhan o gontinwwm yr Anhwylder Sbectrwm Awtistig neu a yw'n gyflwr cwbl ar wahân (Farrel, 2009:17). Er hynny cyfeirir ato weithiau fel 'awtistiaeth uwch-weithredol' ac mae nifer o nodweddion y naill gyflwr hefyd yn bresennol yn y llall. Datblygodd y term o ymchwil Hans Asperger (1944) yn Fienna lle canfu fod rhai plant â lefel canolig neu uwch o ddeallusrwydd ynghyd ag iaith fynegiadol dda ond nad oeddent yn defnyddio'r sgiliau ieithyddol hynny ar gyfer sgwrs ddwyffordd. Mae plant â Syndrom Asperger fel arfer yn awyddus i ffurfio cysylltiadau gydag eraill ond eto'n cael anhawster wrth ymateb a 'darllen' iaith y corff a mynegi a thrafod teimladau. Yn fynych bydd Syndrom Asperger yn cael ei adnabod yn hwyrach nag Anhwylder Sbectrwm Awtistiaeth ac mae'n effeithio ar fwy o fechgyn na merched (MacConville, 2010). Gall nodweddion gynnwys:

- cymryd iaith yn llythrennol gan gamddeall ystyr brawddegau a gorchmynion, e.e. cael anhawster deall jôc, idiom neu ymadroddion;
- cael anhawster deall iaith y corff a mynegiant yr wyneb;
- tueddiad i osgoi cyswllt llygad ac weithiau yn siarad yn bedantig;
- meddu ar ddiddordebau obsesiynol, e.e. awyrennau, dillad pinc, ac yn aml bydd eu sgwrs yn troi o gwmpas obsesiwn arbennig;
- meddu ar dalent arbennig mewn maes penodol, e.e. cyfrifiaduron, cerddoriaeth, mathemateg;
- profi rhwystrau wrth wneud ffrindiau oherwydd bod ganddynt anawsterau i ddeall a chysylltu ag anghenion pobl eraill
- sgiliau echddygol bras gwan a symudiadau corfforol lletchwith

Er hynny trwy gefnogaeth a darpariaeth bwrpasol megis rhai o'r strategaethau a nodir isod, gellir cynorthwyo'r disgyblion hyn i ymdopi'n well â rhai o'r rhwystrau a restrwyd:

- sefydlu trefn a strwythur i'r diwrnod ysgol gan ddefnyddio amserlen weledol;
- paratoi'r plentyn ymhell ymlaen llaw os oes unrhyw newidiadau yn y drefn;
- sicrhau fod y plentyn yn eistedd mewn man lle nad oes gormod o bethau i dynnu sylw;
- darparu cymar all ddangos ymddygiad cadarnhaol o fewn y grŵp cymheiriaid;
- defnyddio cwestiynau uniongyrchol a

llythrennol yn hytrach na chwestiynau penagored;

- rhoi gorchmynion clir a phenodol;
- gwirio dealltwriaeth y plentyn yn rheolaidd;
- defnyddio diddordeb y plentyn fel ffocws ar gyfer gwaith ysgol ac fel cymhelliant neu wobr;
- egluro i'r disgybl sut i ddehongli cliwiau cymdeithasol penodol a'r sgiliau angenrheidiol ar gyfer gwneud a chadw ffrindiau (MacConville, 2010: t.43).

Gwybodaeth bellach:
Cumine (2010)
MacConville (2010: 28-45)
Sainsbury (2002)
Awtistiaeth Cymru – www.awares.org
Cymdeithas Genedlaethol Awtistiaeth Cymru - www.autism.org.uk
Y Gymdeithas Awtistiaeth – www.Autism-society.org
Y Gymdeithas Awtistiaeth Genedlaethol – www.nas.org.uk

Syndrom Down

Anhwylder genetig yw Syndrom Down sy'n cael ei achosi pan gaiff plentyn ei eni gyda chromosom ychwanegol. Mae nodweddion corfforol arbennig gan blant â Syndrom Down, a byddant yn aml yn dioddef o broblemau ar y galon a'r llygaid a phroblemau anadlu. Bydd ganddynt hefyd anawsterau dysgu yn amrywio o gymedrol i ddifrifol gan ei fod yn sbectrwm eang iawn. Tra bo rhai disgyblion yn medru dilyn a chymryd rhan lawn yn y cwricwlwm gyda lefelau priodol o gymorth, bydd eraill sydd ag anawsterau mwy dwys yn mynychu ysgol neu uned arbennig (APADGOS, 2007ch: 106).

Bydd plant â Syndrom Down yn:
- dechrau cerdded a siarad yn hwyrach na'u cyfoedion;
- dioddef o ryw nam ar y clyw neu'r golwg;
- araf yn datblygu sgiliau echddygol bras a manwl;
- cael anhawster wrth atgyfnerthu, cadw a throsglwyddo sgiliau;
- dysgu'n dda trwy weld pethau ond yn cael anhawster i ddysgu trwy wrando ar wybodaeth;
- canolbwyntio am gyfnodau byr yn unig;
- meddu ar sgiliau iaith a chyfathrebu gwan sydd yn gyfatebol i'w gallu gwybyddol.

Bydd angen annog plant â Syndrom Down i ddatblygu annibyniaeth yn raddol yn yr ysgol gynradd rhag iddynt fod yn orddibynnol ar gefnogaeth oedolyn. Gellid ystyried y strategaethau canlynol hefyd:
- rhannu gweithgareddau i gamau bach gyda ffocws clir;
- darparu dulliau dysgu amlsynhwyraidd;
- darparu gweithgareddau i ddatblygu sgiliau echddygol;
- defnyddio iaith syml a chyfarwydd;
- defnyddio rhigymau, odl a chaneuon wrth ddysgu dilyniant syml, e.e. dyddiau'r wythnos;
- annog annibyniaeth a sgiliau hunangymorth;
- monitro a chofnodi camau cynnydd bach;
- darparu gwahanol ddulliau o gofnodi gwybodaeth, e.e. TGCh;
- annog y plentyn i gymryd rhan yn holl weithgareddau'r ysgol os yw'n bosib;
- rhoi digon o amser ar gyfer prosesu

gwybodaeth ac ymateb ar lafar;

- amrywio lefel y cymorth mewn gwersi neu weithgareddau;
- ailadrodd gweithgareddau er mwyn atgyfnerthu dealltwriaeth (Buttriss & Callander, 2008: 52-53).

Gwybodaeth bellach:
APADGOS (2007ch: 106-107)
Buttriss & Callander (2008: 52-53)
MacConville (2010: 152-163)
Cymdeithas Syndrom Down – www.dsa-uk.com
Cymdeithas Syndrom Down Cymru –
www.downs-Syndrome.org.uk/about-us/wales-office.html

Syndrom 'Fragile X'

Anhwylder yn ymwneud â'r genynnau yw 'Fragile X'. Mae'n ddwywaith mwy cyffredin ymhlith bechgyn na merched gan fod gan ferched ddau gromosom X ond dim ond un cromosom X sydd gan fechgyn. Credir mai Syndrom 'Fragile X' yw'r math mwyaf cyffredin o anabledd dysgu a gaiff ei drosglwyddo o un genhedlaeth i'r llall. Gall effeithio ar:

- ymddygiad;
- emosiynau;
- gwaith dysgu;
- iaith a lleferydd.

Bydd difrifoldeb effaith 'Syndrom Fragile X' yn amrywio o un plentyn i'r llall ac mae'n amhosib rhagweld pa fath o rwystrau tuag at ddysgu bydd gan y plant hyn ond gallant gynnwys y canlynol:

- siarad mewn ebychiadau cyflym;

- cael anhawster ymateb yn briodol i gwestiynau uniongyrchol;
- cael anhawster gyda sgiliau echddygol manwl a bras;
- ymateb yn bryderus mewn sefyllfaoedd swnllyd lle mae llawer o blant;
- teimlo'n anghyfforddus wrth wneud cyswllt llygad neu gael eu cyffwrdd gan rywun arall;
- ymateb yn flin os rhoddir pwysau arnynt i orffen tasg o fewn terfyn amser;
- nodweddion ffisegol cynnil, e.e. pen mawr, gwyneb hir, gên fawr, clustiau yn ymwthio allan (Buttriss & Callander, 2008: 64).

O ganlyniad i rai o'r rhwystrau a nodwyd, mae'n well gan y plant hyn amgylchedd tawel ar gyfer dysgu a gweithgareddau ymarferol a chorfforol sy'n ailadroddus. Rhaid gwobrwyo pob cyrhaeddiad bach ac yn enwedig ymddygiad cadarnhaol. Byddant yn gweithio'n well ar eu pennau eu hunain neu mewn gwaith pâr ac mae defnyddio dulliau gweledol yn hybu'r dysgu. Rhaid bod yn realistig wrth osod targedau ar gyfer plant â Syndrom 'Fragile X' gan ganolbwyntio ar dargedau clir a byr (Buttriss & Callander, 2008: 64).

Gwybodaeth bellach:
APADGOS (2007ch: 109)
Buttriss & Callander (2008: 64-65)
Cymdeithas 'Fragile X' – www.fragilex.org.uk

Syndrom Prader-Willi

Anhwylder ar y cromosomau sy'n effeithio ar fechgyn a merched yw Syndrom Prader-Willi. Mae nifer o nodweddion i'r Syndrom hwn ond yr un amlycaf yw'r awydd anniwall am fwyd. Gall hyn amlygu ei hun yn gynnar mewn plentyndod wrth i'r plentyn ddangos diddordeb cynyddol mewn bwyd a hynny'n arwain at obsesiwn am fwyta erbyn oed dechrau ysgol. Os na reolir y diet yn effeithiol gall arwain at gynnydd mewn pwysau a gordewdra.

Efallai bydd plant â Syndrom Prader-Willi yn dioddef o ddiffyg o safbwynt eu hormonau tyfu hefyd, a bydd ganddynt nodweddion corfforol tebyg, megis llygaid siâp almon a cheg, dwylo a thraed bach. Fel arfer pan gânt eu geni, byddant yn wan ac yn llipa ac mae'r mwyafrif yn cael anhawster bwydo o'r dechrau. Mae ffurfiant y cyhyrau yn wan ac o bosib bydd y corff a'r lleferydd yn arafach yn datblygu. Mae plant â Syndrom Prader-Willi yn medru profi anawsterau dysgu penodol, cymedrol neu ddifrifol ac fel arfer mae eu gallu gwybyddol yn is na'r cyffredin (APADGOS, 2007ch: 112).

Rhai nodweddion eraill a welir gan blant â'r Syndrom hwn yw eu bod:
- ag anawsterau gyda chydsymud corfforol a sgiliau echddygol bras a manwl;
- yn ddiddig a thawel ond yn colli tymer yn rhwydd mewn materion yn ymwneud â bwyd;
- yn pigo'r croen ac o bosib yn hunan-niweidio;
- yn ailadrodd cwestiwn neu ddatganiad trosodd a throsodd;
- yn cael anhawster wrth brosesu gwybodaeth ac

wrth roi pethau mewn trefn;
- yn ei chael hi'n anodd ymdopi gyda newidiadau yn y drefn arferol;
- yn cael problem wrth wneud dewisiadau;
- yn meddu ar sgiliau cymdeithasol gwan ac yn cael anhawster gweithio mewn grŵp.

Wrth gefnogi'r plentyn â Syndrom Prader-Willi gellir ystyried:
- defnyddio cymorthyddion neu gliwiau gweledol mor aml â phosib;
- ei helpu i ddatblygu strategaethau i wella sgiliau cymdeithasol, cof y clyw, sgiliau trefnu, gwneud dewisiadau, dilyn cyfarwyddiadau ac ymdopi gyda newidiadau yn y drefn arferol;
- dilyn rhaglen o ymarferion i gryfhau nerth y cyhyrau;
- darparu cyfleoedd rheolaidd i ymarfer ac atgyfnerthu sgiliau a chysyniadau (Buttriss & Callander, 2008: 86-87).

Gwybodaeth bellach:
APADGOS (2007ch: 111-112)
Buttriss & Callander (2008: 86-87)
Cymdeithas Brydeinig Syndrom Prader-Willi – www.pwsa.co.uk

Syndrom Tourette

Mae Syndrom Tourette yn anhwylder niwrolegol a all gael ei etifeddu o fewn y teulu ac mae'n effeithio ar hyd at dair neu bedair gwaith yn fwy o fechgyn na merched. Bydd y symptomau fel arfer yn amlygu eu hunain pan fydd plant ar ddechrau eu harddegau neu ynghynt a byddant yn arddangos rhai o'r nodweddion canlynol:

- yr wyneb yn gwingo, e.e. llygad neu drwyn yn gwingo, rhoi tafod allan;
- gweddill y corff yn gwingo, e.e. y pen yn ysgwyd, stampio traed, ymestyn breichiau;
- clirio'r gwddf, poeri, rhegi, hisian, gweiddi, cyfarth, achwyn, atal dweud;
- anhawster gyda threfnu eu hunain;
- hunanhyder isel;
- ailadrodd geiriau plentyn neu berson arall;
- gweiddi pethau anghwrtais;
- efelychu gweithrediadau plant eraill.

Bydd angen cefnogaeth ar y plentyn er mwyn ymdopi gyda'r rhwystredigaeth a'r anawsterau cymdeithasol amlwg sydd yn gysylltiedig â'r anhwylder hwn. Gall hyn gynnwys:

- cyfleoedd i fynd allan am doriad byr o'r dosbarth;
- darparu amser ychwanegol i gwblhau tasgau er mwyn lleihau pryder;
- darparu cyfleoedd i ddatblygu sgiliau echddygol manwl;
- defnyddio strategaethau dysgu amlsynhwyraidd;
- rhoi tasgau byr a chlir;
- defnyddio adnoddau TGCh;
- defnyddio adnoddau gweledol er mwyn denu sylw a hybu dealltwriaeth;
- gofyn i'r plentyn eistedd lle mae llai o bethau i dynnu ei sylw (Buttriss & Callander, 2008).

Gwybodaeth bellach:
Buttriss & Callander (2008: 103-104)

Targedau CAMPUS

Wrth osod targedau ar gyfer plentyn ag ADY mewn Cynllun Addysg/Cynllun Chwarae/Cynllun Ymddygiad Unigol neu Grŵp, mae'n bwysig eu bod yn addas ar gyfer lefel y datblygiad ond ar yr un pryd yn heriol ac o fewn cyrraedd y plentyn. Un ffordd o wneud hynny yw trwy ddilyn y strategaeth o osod targedau 'CAMPUS' (SMART), sef rhai :

- cyraeddadwy;
- amserol;
- mesuradwy;
- penodol;
- uchelgeisiol;
- synhwyrol.

Mae hyn yn ffocysu yn bositif ar y camau nesaf yn natblygiad y plentyn.

Gwybodaeth bellach:
Glazzard et al. (2010: 107)
Jones (2004: 42)

Therapydd Iaith a Lleferydd

Caiff gwasanaeth therapi iaith a lleferydd ei ystyried yn ddarpariaeth addysgol ac fel arfer caiff ei gyllido ar y cyd rhwng yr Awdurdod Lleol a'r Gwasanaeth Iechyd Cenedlaethol lleol. Os oes gan rieni/gofalwyr bryderon ynglŷn â datblygiad iaith eu plentyn gallant ei g/chyfeirio at y gwasanaeth therapi iaith a lleferydd yn uniongyrchol. Weithiau cyfeirir plentyn gan yr ysgol neu gan asiantaeth allanol arall (Buttriss & Callander, 2008: 155). Mae amlder gwasanaeth y therapydd iaith a lleferydd yn ddibynnol iawn ar yr argaeledd yn yr ardal (Glazzard et al., 2010: 68).

Bydd therapyddion iaith a lleferydd yn gweithio gyda phlant oed ysgol ac yn:

- cydweithio gyda rhieni/gofalwyr, athrawon a staff cymorth mewn ysgolion prif ffrwd;
- ystyried y cyd-destun teuluol ac addysgiadol wrth asesu, llunio diagnosis a therapi;
- darparu addysg a hyfforddiant i rieni/gofalwyr a staff ysgol ym mhob agwedd ar anawsterau iaith a chyfathrebu;
- cefnogi athrawon a staff cymorth gyda strategaethau addysgu plant ag anawsterau iaith a chyfathrebu ar draws y cwricwlwm;
- cysylltu gyda gweithwyr proffesiynol eraill sydd ynghlwm â'r plentyn e.e. seicolegydd addysg, athrawon arbenigol.

Byddant yn ymdrin ag ystod eang o anawsterau cyfathrebu ac

yn gweithio gyda'r plant mewn gwahanol ffyrdd gan gynnwys:

- sesiynau unigol lle caiff plant eu tynnu allan o'r dosbarth;
- sesiynau grŵp bach lle caiff plant eu tynnu allan o'r dosbarth;
- sesiynau unigol neu grŵp bach yn y dosbarth;
- hyfforddi neu gefnogi oedolion eraill sydd yn gweithio gyda'r plentyn.

Bydd y cynorthwyydd dosbarth yn aml iawn yn cynnal y sesiynau hyn gyda'r plentyn ac yn dilyn cynllun penodol a ddyfeisiwyd ac a gytunwyd gan y therapydd iaith a lleferydd. Er y gall hyn fod yn gyfrwng hynod o effeithiol i gefnogi datblygiad sgiliau cyfathrebu mae angen hyfforddiant a dealltwriaeth dda ar yr oedolyn sy'n gweithredu'r cynllun (Buttriss & Callander, 2008: 155-156).

Gwybodaeth bellach:
Buttriss & Callander (2008: 155-156)
Farrell (2009: 276-277)
Glazzard et al. (2010: 68)

Therapydd Galwedigaethol

Mae therapyddion galwedigaethol yn cynorthwyo plant ag AAA/ADY a phlant ag anabledd parhaol neu dros dro o ganlyniad i ddamwain, cyflwr neu salwch meddygol i fyw bywyd mor annibynnol â phosib. Gall hyn gynnwys plant:

- ag anableddau corfforol o ganlyniad i balsi'r ymennydd, spina bifida, niwed i'r pen neu gyflyrau niwrolegol;
- sydd wedi colli aelodau o'r corff, e.e. braich neu goes;
- ag anawsterau dysgu;
- ag anawsterau datblygiad echddygol o ganlyniad i ddyspracsia;
- ag anawsterau canfyddiad gan gynnwys nam ar y golwg, cof gweledol a phroblemau gyda gallu gweledol a gofodol;
- ag anawsterau emosiynol ac ymddygiadol;
- ag anawsterau meddygol eraill megis canser neu losgiadau difrifol.

Bydd therapyddion galwedigaethol yn gweithio mewn ysgolion a chartrefi yn ogystal ag mewn ysbytai ac yn darparu sesiynau i:

- unigolion er mwyn datblygu sgiliau bywyd ac asesu anghenion mynediad, e.e. i'r cyfrifiadur;
- grwpiau bach i ddatblygu sgiliau cymdeithasol, sgiliau chwarae a sgiliau bywyd;
- dosbarth cyfan er mwyn cynorthwyo i ddatblygu a gweithredu rhaglenni llawysgrifen;
- asesu addasiadau i seddau yn y dosbarth;

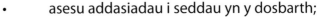

- cynghori a darparu ystod o adnoddau ac addasiadau ar gyfer ysgolion, e.e. fframiau sefyll, hambyrddau i gadeiriau olwyn, byrddau addasadwy, addasiadau i seddi toiled ac yn y blaen;
- hyfforddi athrawon a chynorthwywyr (Buttriss & Callander, 2008: 143-156).

Gwybodaeth bellach:
Buttriss & Callander (2008: 149-150)

Tîm Amlasiantaethol

Ym myd addysg mae'r tîm amlasiantaethol yn cynnwys grŵp o arbenigwyr sydd yn asesu rhwystrau'r plentyn tuag at ddysgu ac yn darparu cyngor i'r athro/athrawes neu'r Cydlynydd AAA. Gall y rhain gynnwys:

- Paediatregydd;
- Seicolegydd addysg;
- Gweithwyr cymdeithasol;
- Therapydd Iaith a Lleferydd;
- Therapydd Galwedigaethol;
- Y Gwasanaeth Iechyd;
- Swyddog Lles;
- Gwasanaethau Iechyd Meddwl Plant a Phobl Ifanc (CAMHS);
- NSPCC;
- Barnardos;
- Cynorthwyydd Cefnogi Emosiynol ac Ymddygiadol (SEBSA);

- Gwasanaethau i blant â nam ar y clyw;
- Gwasanaethau i blant â nam ar y golwg;
- Gwasanaethau Cymorth yr Awdurdod Lleol;
- Dechrau'n Deg (Glazzard et al. 2010: 115-116).

Er mwyn darparu'n fwy addas ac effeithiol ar gyfer y plentyn, mae'n bwysig bod yr ysgol yn cydweithio'n agos gyda'r asiantaethau hyn naill ai trwy gyfarfodydd ffurfiol neu trwy rwydwaith o rannu gwybodaeth a syniadau (Buttriss & Callander, 2008: 149).

Gwybodaeth bellach:
Buttriss & Callander (2008: 143-156)
Glazzard et al. (2010: 115-129)
LICC (2007)

Tribiwnlys Anghenion Addysgol Arbennig

Sefydlwyd Tribiwnlys Anghenion Addysgol Arbennig Cymru yn 2003 ac mae'n Dribiwnlys statudol. Caiff ei gyllido gan Lywodraeth Cymru ond mae'n annibynnol ar Lywodraeth Cymru ac awdurdodau lleol. Mae gan y Tribiwnlys yr awdurdod i wrando a phenderfynu ar apeliadau yn erbyn rhai penderfyniadau penodol a wneir gan awdurdodau lleol yng Nghymru.

Ar hyn o bryd cyflwynir apeliadau gan rieni y mae gan eu plant AAA ac maent yn ymwneud â phenderfyniadau ynghylch addysg eu plant. Os ydy rhieni/gofalwyr plentyn sydd â datganiad o AAA yn anghytuno gydag unrhyw fater a nodir yn rhan 2, 3 a 4 o ddatganiad arfaethedig neu addasiad i ddatganiad blaenorol a'u bod yn methu dod i gytundeb gyda'r ALl, mae ganddynt yr hawl i apelio i'r Tribiwnlys AAA. Er hynny mae cynllun peilot ar waith ar hyn o bryd i sicrhau bod y plant eu hunain yn medru gwneud apêl uniongyrchol i'r Tribiwnlys yn ogystal ag ystyried gwelliannau pellach i rôl y Tribiwnlys. Maent hefyd yn ymdrin â honiadau ynglŷn â gwahaniaethu ar sail anabledd yn erbyn ysgolion yng Nghymru (LlC 2011).

Gwybodaeth bellach:
LlC (2011)
Panel Annibynnol ar gyfer Cyngor Addysgol Arbennig (IPSEA) – www.ipsea.org.uk
Tribiwnlys Anghenion Addysgol Arbennig Cymru (SENTW) – www.sentw.gov.uk

Uned Cyfeirio Disgyblion

Mae unedau cyfeirio disgyblion yn darparu addysg amgen dros dro i blant sydd wedi eu gwahardd o'r ysgol neu'r rhai hynny nad ydynt yn mynychu ysgol am resymau eraill. Bydd nifer o'r disgyblion sydd yn mynychu'r unedau cyfeirio disgyblion ag ADY a rhai ohonynt â datganiad o AAA o ganlyniad i anawsterau emosiynol neu ymddygiadol.

Tra cefnogir y mwyafrif o ddisgyblion sydd ag anawsterau o'r math hyn yn eu hysgolion eu hunain, mae ar rai angen ymyrraeth arbenigol er mwyn medru parhau mewn addysg brif ffrwd. Bydd angen iddynt fynychu uned cyfeirio disgyblion am gyfnod er mwyn medru ymdopi â'u problemau dybryd cyn dychwelyd i ysgolion prif ffrwd neu ysgolion arbennig.

Y drefn arferol yw bod yr ysgol, yr ALI neu gyrff proffesiynol eraill yn cyfeirio disgyblion i'r unedau hyn. Ni fyddant o reidrwydd yn dilyn y Cwricwlwm Cenedlaethol, ond yn hytrach yn dilyn cwricwlwm gwahaniaethol sydd yn addas ar gyfer anghenion unigol y plentyn. Bydd staff wedi eu hyfforddi ar gyfer ymdrin ag anawsterau heriol a bydd pwyslais ar gynorthwyo'r plentyn i ddychwelyd i addysg brif ffrwd cyn gynted â phosib ar ôl ymyrraeth arbenigol (Glazzard et al. 2010: 20).

Gwybodaeth bellach:
APADGOS (2008b)
Cymdeithas Genedlaethol ar gyfer Unedau Cyfeirio Disgyblion yng Nghymru a Lloegr – www.prus.org.uk
Estyn (2007)
Glazzard et al. (2010:120)

Ymateb Graddoledig

Nodir yng Nghod Ymarfer AAA Cymru 2002 bod angen ymateb graddoledig er mwyn diwallu anghenion plant ag AAA. Mae hyn yn cydnabod bod pob plentyn yn unigolyn, bod ganddynt gontinwwm o AAA ac y bydd angen cefnogaeth arbenigol ar rai ohonynt yn y pen draw er mwyn gwneud cynnydd pellach mewn addysg brif ffrwd (DfES dyfynnir yn Glazzard et al., 2010: 20). Er hynny noda'r Cod Ymarfer (LlCC: 2004) yn gwbl glir y dylai ysgolion ddefnyddio pob cymorth ac adnoddau posib o fewn yr ysgol cyn gofyn am gefnogaeth bellach gan asiantaethau allanol. Mae'r ymateb graddoledig yn cydnabod bod plant yn dysgu mewn gwahanol ffyrdd a bod gan bob un ohonynt wahanol fathau a gwahanol lefelau o AAA. Trwy'r ymateb graddoledig gall ysgolion gyflwyno cefnogaeth ac arbenigedd gam wrth gam ar gyfer plentyn sydd yn profi rhwystrau tuag at ddysgu a datblygu.

Dylid hysbysu rhieni/gofalwyr o unrhyw gymorth ychwanegol neu wahanol mae plentyn yn ei dderbyn o ganlyniad i'w AAA a gall hyn amrywio o ran natur a lefel y cymorth. Gall hyn fod ar lefel:

1.	Gweithredu yn y Blynyddoedd Cynnar/ gan yr Ysgol;
2.	Gweithredu yn y Blynyddoedd Cynnar a mwy/ gan yr Ysgol a mwy.

Mae'r broses o fonitro datblygiad a chynnydd y plentyn ar y lefelau hyn trwy gyfres o Gynlluniau Addysg/Chwarae/ Ymddygiad Unigol yn hanfodol. Os gwelir nad yw'r camau a gymerwyd yn dangos tystiolaeth o gynnydd a gwelliant mewn meysydd penodol yna bydd angen asesiad statudol er mwyn llunio datganiad o AAA. Nid yw'r ymateb graddoledig tuag at AAA yn awgrymu mai cyfres o rwystrau i'w goresgyn cyn gwneud cais am asesiad statudol yw ymyriadau (DfES dyfynnir yn Glazzard et al., 2010: 20). Yn hytrach mae unrhyw ymyrraeth yn rhan o gylchdro cynllunio, gweithredu ac asesu mewn ysgol, sydd yn galluogi pob plentyn i ddysgu, gwneud cynnydd a llwyddo.

Gwybodaeth bellach:
Farrell (2009: 119-120)
Glazzard et al. (2010: 20)
LICC (2004)

Ymwelydd Iechyd

Mae ymwelwyr iechyd yn nyrsys cofrestredig sydd wedi derbyn hyfforddiant arbenigol pellach. Nhw sy'n cynnal profion i asesu datblygiad plentyn cyn oed ysgol gan gynnwys profion:

- clyw;
- golwg;
- iaith a lleferydd.

Er bod y cyfrifoldeb hwn yn cael ei drosglwyddo i'r nyrs ysgol pan fydd y plentyn wedi dechrau'r ysgol, bydd ymwelwyr iechyd yn parhau i ymweld a chynnig cefnogaeth i blentyn hyd at 18 oed os oes ganddo/i AAA. Mewn achos o'r fath byddant hefyd yn adeiladu perthynas gyda staff yr ysgol, y gwasanaethau cymdeithasol ac asiantaethau allanol eraill wrth gefnogi plentyn ag AAA a'i d/theulu.

Gwybodaeth bellach:
Buttriss & Callander (2008:147-148)

Ymyrraeth Gynnar

Ceir ystyr weddol eang i'r term 'ymyrraeth gynnar' ond yn gyffredinol cyfeiria at ymyriadau a fydd yn cynorthwyo plant i gael y cychwyn gorau posib mewn bywyd (Odom et al.

dyfynnir yn Farrel, 2009). Yng nghyd-destun plant ag ADY, weithiau caiff ymyrraeth gynnar ei gamddehongli fel yr angen i ymyrryd pan mae'r plentyn mor ifanc â phosib. Hwyrach y byddai'r term 'ymyrraeth amserol' yn fwy priodol gan mai'r nod yw ymyrryd yn brydlon os oes rhwystrau rhag dysgu yn codi.

Gall ymyrryd yn rhy gynnar arwain at ddarganfod yn hwyrach nad oes gan y plentyn anghenion (Farrell, 2009). Gwelir felly fod ymyrraeth gynnar yn seiliedig ar ddealltwriaeth athrawon o'r modd mae plant ifanc yn datblygu ar wahanol raddfeydd a'r angen i gydnabod os ydy'r plentyn yn cael anhawster mewn rhai meysydd.

Gwybodaeth bellach:
Farrell (2009: 102-103)
LICC (2004)

Ysgol Arbennig

Er bod argymhelliad yn y Cod Ymarfer y dylai plant ag ADY dderbyn eu haddysg mewn ysgolion prif ffrwd, bydd rhai disgyblion ag anableddau difrifol angen lefel uchel o gefnogaeth ac ysgolion arbennig yw'r lleoliad gorau i ddiwallu eu hanghenion (Kauffman et al. dyfynnir yn Westwood, 2011). Gall ysgol arbennig gynnig cwricwlwm, adnoddau, dulliau addysgu a gwahanol ddulliau therapi pwrpasol wedi eu teilwra yn ofalus i gwrdd ag anghenion penodol y plentyn (Westwood, 2011).

Nodir yng Nghod Ymarfer AAA Cymru 2002 (LICC, 2004: 26) y dylai plant 'sy'n mynychu ysgolion arbennig gael cynnig yr un cyfleoedd i gymryd rhan a chyfranogi â'u cyfoedion mewn ysgolion prif ffrwd'. Mae'n bosib y bydd angen cefnogaeth neu amser ychwanegol arnynt i ymarfer mynegi eu barn. O ganlyniad felly bydd angen i athrawon mewn ysgolion arbennig fod yn sensitif i'w barn a'u dymuniadau a sicrhau eu bod yn manteisio'n llawn ar y cyfleoedd i gyfranogi wrth iddynt aeddfedu.

Gwybodaeth bellach:
LlCC (2004)
Westwood (2011: 32)

Cyfeiriadau:

Adran Plant, Addysg, Dysgu Gydol Oes a Sgiliau (APADGOS), (2007a) *Cynnwys a Chynorthwyo Disgyblion* (Cylchlythyr Cynulliad Cenedlaethol Cymru Rhif: 47/2006), Caerdydd: Llywodraeth Cynulliad Cymru.

Adran Plant, Addysg, Dysgu Gydol Oes a Sgiliau (APADGOS), (2007b) *Gwrando ar Ddysgwyr*, Caerdydd: Llywodraeth Cynulliad Cymru.

Adran Plant, Addysg, Dysgu Gydol Oes a Sgiliau (APADGOS), (2007c) *Hyrwyddo Cydraddoldeb Anabledd mewn Ysgolion*, Caerdydd: Llywodraeth Cynulliad Cymru.

Adran Plant, Addysg, Dysgu Gydol Oes a Sgiliau (APADGOS), (2007ch) *Pecyn Hyfforddi Cenedlaethol y Cyfnod Sylfaen – Llawlyfr Modiwl 5 Anghenion Dysgu Ychwanegol*, Caerdydd: Llywodraeth Cynulliad Cymru.

Adran Plant, Addysg, Dysgu Gydol Oes a Sgiliau (APADGOS), (2008a) *Gwahardd o Ysgolion ac Unedau Cyfeirio Disgyblion*, Caerdydd: Llywodraeth Cynulliad Cymru.

Adran Plant, Addysg, Dysgu Gydol Oes a Sgiliau (APADGOS), (2008b) *Symud Ymlaen – Addysg i Sipsiwn-Teithwyr*, Caerdydd: Llywodraeth Cynulliad Cymru.

Adran Plant, Addysg, Dysgu Gydol Oes a Sgiliau (APADGOS), (2010) *Cwricwlwm i Bob Dysgwr*, Caerdydd: Llywodraeth Cynulliad Cymru.

Awdurdod Cymwysterau, Cwricwlwm ac Asesu Cymru

(ACCAC), (2003) *Cwricwlwm o Gyfle: Datblygu Potensial yn Berfformiad,* Caerdydd: ACCAC.

Baldock, P., (2010) *Understanding Cultural Diversity in the Early Years,* London: Sage.

Booth, T. & Ainscow, M. (2002) *Index for Inclusion – Developing Learning and Participation in Schools,* Bristol: Centre for Studies on Inclusive Education.

Booth, T., Ainscow, M., & Kingston, D. (2002) *Index for Inclusion – Developing Play, Learning and Participation in Early Years and Childcare,* Bristol: Centre for Studies on Inclusive Education.

Bird, R. (2007) *The Dyscalculia Toolkit,* London: Sage.

Buttriss, J., & Callander, A., (2008) *A – Z of Special Needs for Every Teacher,* Hereford: Optimus Education.

Cairns, K. (2004) *Learn the Child: Helping Looked After Children to Learn,* London: BAAF.

Chambers, P. ed. (2008) *Pupils with Cancer – A Guide for Teachers,* England: The Royal Marsden NHS Foundation Trust and The Specialist Schools and Academies Trust.

Chinn, S.J. and Ashcroft, J.R. (2007) *Mathematics for Dyslexics including Dyscalculia.* Chichester: Wiley.

Crowley, A. (2003) *Wnewch chi Wrando?: Adroddiad ar Arolwg o Safbwyntiau a Phrofiadau Sipsiwn/Crwydrwyr Ifanc yng Nghymru,* Caerdydd: Achub y Plant.

Cumine, V., (2010) *Asperger Syndrome: A Practical Guide for Teachers,* London: Routledge.

Delaney, T., (2009) *101 Games and Activities for Children with Autism, Aspergers and Sensory Processing Disorders, London:*

McGraw-Hill.

Department for Education and Skills, (2002) *Supporting Pupils Learning English as an Additional Language*, Great Britain: DES.

Derrington, C. (2004) *Gypsy Traveller Students in Secondary Schools: Culture, Identity and Achievement,* Stoke-on-Trent: Trentham.

Edwards, S. (2011) T*he SENCO Survival Guide – The Nuts and Bolts of Everything You Need To Know*, Oxon: Routledge.

Estyn, (2000) *Safonau ac Ansawdd mewn Ysgolion Cynradd ac Uwchradd: Darparu ar gyfer Disgyblion sy'n Dysgu Saesneg fel Iaith Ychwanegol*, Caerdydd: Estyn.

Estyn, (2005a) *Arweiniad Atodol ar Arolygu Cydraddoldeb Hiliol, Hyrwyddo Perthynas Dda a Saesneg fel Iaith Ychwanegol,* Caerdydd: Estyn.

Estyn, (2005b) *Cyfle Cyfartal ac Amrywiaeth Mewn Ysgolion yng Nghymru,* Caerdydd: Arolygiaeth Ei Mawrhydi Dros Addysg a Hyfforddiant yng Nghymru.

Estyn, (2007) *Arfer Awdurdodau Addysg Lleol wrth Fonitro Lleoliad Disgyblion Sy'n Cael eu Haddysgu y Tu Allan i Leoliad yr Ysgol a'r Rheiny sydd ar Goll o Addysg*, Caerdydd: Estyn.

Estyn, (2009) *Cymorth Awdurdodau Lleol ar Gyfer Addysg Plant Gweithwyr Mudol* , Caerdydd: Estyn.

Estyn, (2011) *Addysg Disgyblion sy'n Sipsi Deithwyr – Diweddariad ar y Ddarpariaeth mewn Ysgolion Uwchradd,* Caerdydd: Estyn.

Estyn, (2011) *Mynd i'r Afael â Thlodi ac Anfantais Mewn Ysgolion: Cydweithio â'r Gymuned a Gwasanaethau Eraill,* Caerdydd: Arolygiaeth Ei Mawrhydi Dros Addysg a Hyfforddiant yng

Nghymru.

Farrel, M., (2009) *The Special Education Handbook*, (4th ed.), London: Routledge.

Glazzard, J., Hughes, A., Netherwood, A. Neve, L & Stokoe, J. (2010) *Teaching Primary Special Educational Needs*, Exeter: Learning Matters Ltd.

Golding, K., Dent, H., Nissim, R. & Stott, L. (eds.) (2006) *Thinking Psychologically About Children Who Are Looked After and Adopted: Space for Reflection*, Chichester: John Wiley.

Grant, D. (2010) *That's The Way I Think: Dyslexia, Dyspraxia and ADHD Explained*, London: Routledge.

Grigg, R., (2010) *Becoming an Outstanding Primary School Teacher,* Essex: Pearson Education Ltd.

Grŵp Adolygu Gweithdrefnau Amddiffyn Plant Cymru Gyfan, (2008) *Canllawiau Amddiffyn Plant Cymru Gyfan 2008,* Dim man cyhoeddi: Grŵp Adolygu Gweithdrefnau Amddiffyn Plant Cymru Gyfan.

Hall, W. (2009) *Dyslexia in the Primary Classroom*, Exeter: Learning Matters Ltd.

Jackson, S. & Thomas, N. (2000) *What Works in Creating Stability for Looked After Children*, Ilford: Barnardo's.

Jones, C. (2004) *Supporting Inclusion in the Early Years,* Maidenhead: Open University Press.

Jones, E.W., (2005) *Fy Mrawd Gwern – My Brother Gwern,* Aberystwyth: Autism Cymru.

Llywodraeth Cymru, (2011) *Rheoliadau Drafft Tribiwnlys Anghenion Addysgol Arbennig Cymru 2011 – Dogfen Ymgynghori,* Caerdydd: Llywodraeth Cymru.

Llywodraeth Cymru, (2012), *Dogfen Ymgynghori – Ymlaen Mewn Partneriaeth Dros Plant a Phobl Ifanc ag Anghenion Ychwanegol,* Caerdydd: Llywodraeth Cymru.

Llywodraeth Cynulliad Cymru (LICC), (2003) *Cyflawniad Disgyblion o Leiafrifoedd Ethnig yng Nghymru*, Caerdydd: Llywodraeth Cynulliad Cymru.

Llywodraeth Cynulliad Cymru (LICC), (2004) *Cod Ymarfer Anghenion Addysgol Arbennig Cymru (ail argraffiad)*, Caerdydd: Llywodraeth Cynulliad Cymru.

Llywodraeth Cynulliad Cymru (LICC), (2006a) *Diogelu Plant: Gweithio Gyda'n Gilydd dan Ddeddf Plant 2004*, Caerdydd: Llywodraeth Cynulliad Cymru.

Llywodraeth Cynulliad Cymru (LICC), (2006b) *Y Wlad Sy'n Dysgu – Gweledigaeth ar Waith*, Caerdydd: Llywodraeth Cynulliad Cymru.

Llywodraeth Cynulliad Cymru (LICC), (2007) *Gweithredu'r Hawliau*, Caerdydd: Llywodraeth Cynulliad Cymru.

Llywodraeth Cynulliad Cymru (LICC), (2008a) *Cyflawni'r Her – Safonau Ansawdd ar gyfer Disgyblion Mwy Galluog a Thalentog*, Caerdydd: Llywodraeth Cynulliad Cymru.

Llywodraeth Cynulliad Cymru (LICC), (2008b) *Datganiadau neu Rywbeth Gwell – Adroddiad Cynnydd – Tachwedd 2008*, Caerdydd: Llywodraeth Cynulliad Cymru.

MacConville, R., (2010) *Special Needs – What to Know and What to Do, The Professional Development File for All Staff*, London: Optimus Education.

Miles, S., & Ainscow, M., (2011) *Responding to Diversity in Schools: An Inquiry-Based Approach*: Routledge.

Mittler, P., (2006) *Working Towards Inclusive Education*, Oxon: Routledge.

O'Hanlon, C. (2004*) The Education of Gypsy and Traveller Children: Towards Inclusion and Educational Achievement,* Stoke-on-Trent: Trentham.

Plant Yng Nghymru, (2009) *Tlodi Plant ac Allgau Cymdeithasol yn y Gymru Wledig,* Caerdydd: Rhwydwaith Dileu Tlodi Plant Cymru.

Read Successfully Ltd. (2011) *Dysgu Darllen gan Ddefnyddio Gêmau Bocs 1*, England: Read Successfully Ltd.

Read Successfully Ltd. (2008) *Teach Reading Using Games Box 1, 2 & 3,* England: Read Successfully Ltd.

Rose, R., & Howley, M., (2007) *Special Educational Needs in Inclusive Primary Classrooms*, London: Paul Chapman Publishing.

Sainsbury, C., (2002) *Martian in the Playground: Understanding the Schoolchild with Asperger's Syndrome*, England: Lucky Duck Books.

Spooner, W., (2011) *The SEN Handbook for Trainee Teachers, NQTs and Teaching Assistants* (2nd ed.), London: Routledge.

Wearmouth, J., (2009) *A Beginning Teacher's Guide to Special Educational Needs*, Maidenhead: Open University Press.

Westwood, P. (2011) *Commonsense Methods for Children with Special Educational Needs,* (6th ed.), London: Routledge.

Y Gymdeithas Genedlaethol i Blant Byddar, (2008) *Arweiniad ar Gyfer Rhieni Plant â Clust Ludiog*: Y Gymdeithas Genedlaethol i Blant Byddar.